D1252365

PHILIPPE BERTRAND - PHILIPPE MARAND

Chocolat
l'envers du décor

CHOCOLATE, BEHIND THE SCENES

Coordination éditoriale **Cendrine Leroy**
Illustrations **Élisabeth Nesius**

Merci pour leur aide à
Valérie Morvan, Claire Bouchet

Cet ouvrage a été imprimé en novembre 2000
par l'imprimerie Lienhart
pour Les éditions de l'if.

Dépôt légal : 4e trimestre 2000
ISBN 2-914449-00-3
imprimé en France

PHILIPPE BERTRAND - PHILIPPE MARAND

Chocolat
l'envers du décor

CHOCOLATE, BEHIND THE SCENES

Photographies **Moussa Elibrik**

Graphisme **Stéphane Blanchet**

Textes établis par **Fabien Barbier**

Traduit du français par **Amy Lodge**

LES ÉDITIONS DE L'IF

SOMMAIRE

SOMMAIRE

Contents

Avant-propos

FOREWORD

D'expériences nouvelles en remises en question, la nécessité d'un livre s'est peu à peu imposée. *Chocolat, l'envers du décor* est le fruit de cette maturation professionnelle : un outil pédagogique qui s'adresse aux professionnels de tous niveaux désireux d'approfondir leurs connaissances.

Nous vous livrons ici un ensemble de techniques pour réaliser des décors nouveaux et spectaculaires. Des plus imposantes aux plus discrètes, les créations qui font suite sont là pour vous permettre de vous initier à leur réalisation et de vous donner les moyens de laisser libre cours à votre imagination, maître mot dans le domaine de la décoration. Fidèles aux traditions dont nous sommes issus, nous avons voulu ouvrir une voie nouvelle qui donne la part belle à la création et à l'esprit d'initiative.

À travers ce manuel, c'est l'essence et l'amour de notre profession, que nous voulons vous transmettre. Nous espérons qu'au fil de votre lecture vous éprouverez autant de plaisir et d'intérêt que nous en avons eu à le concevoir.

In the search for new experiences, we became more and more aware of the need for a book. Chocolate, behind the scenes, *is the fruit of this professional maturity: a pedagogical tool designed for professionals of all levels, who wish to widen their knowledge.*

What we provide you with here is an ensemble of techniques to create new and spectacular decorations. From the most imposing to the most discreet, the following creations are here to allow an insight into their making, and to give you the means to let your imagination run free, a key point in the decoration field. Faithful to the traditions from which we emerge, we have tried to open new doors to creation and the spirit of initiative.

It is thus both the essence and the love of our profession that we want to put across. We hope that when you read it, you will feel as much pleasure and interest as we did in making it.

Philippe Bertrand & Philippe Marand

LE CHOCOLAT

Chocolate

Brève histoire d'un délice

SHORT HISTORY OF A DELICACY

Un plaisir des dieux

A pleasure of the gods

Avant d'être une nourriture pour les hommes, le chocolat fut une nourriture pour les dieux : selon la légende, c'est le roi sacré Quetzalcoatl qui l'aurait découvert dans le jardin des fils du Soleil.

Mais derrière la légende se cache l'histoire. Originaire d'Amérique centrale, le fruit du cacaoyer est consommé dès la préhistoire. Les Mayas (IVe-Xe siècle), brillants représentants d'une civilisation étonnante de richesses, sont les premiers à le cultiver. Ils tirent déjà de la fève de cacao un breuvage au goût amer. Venus du nord du Mexique actuel, les Aztèques (XIVe-XVIe siècle) suivent leur exemple. Eux aussi cultivent l'arbre à cabosses, et confectionnent à partir de la fève grillée une boisson nommée *xocoatl*, dans la composition de laquelle venaient s'ajouter de la vanille, du piment, de la cannelle et même de la farine de maïs.

Before becoming a food of man, chocolate was a food of the gods: according to the legend, it was the sacred King Quetzalcoatl who discovered it in the Sun Garden.

But behind the legend lies the true story. The consumption of cacao fruit, originally from Central America, can be traced back to prehistoric times. The Mayas (4th to 10th Centuries), clearly representative of a civilisation of riches, were the first to cultivate the fruit. They had already managed to extract a bitter tasting drink from the beans.

This example was followed by the Aztecs (14th to 16th Centuries), who came from the North of modern-day Mexico. They too cultivated the podded tree, and concocted a drink made from grilling the beans and called xocoatl*, which also included vanilla, hot pepper, cinnamon, and even maize flour.*

Histoire d'un voyage, du Mexique à l'Espagne

History of a voyage, from Mexico to Spain

C'est avec l'arrivée des conquistadores que les Occidentaux découvrent le *Théobroma cacao linnéa*. À la suite de Christophe Colomb, qui s'est désintéressé de la fève précieuse, la considérant comme une vulgaire monnaie d'échange, Hernán Cortés découvre ce qui deviendra le chocolat durant la conquête du Mexique, en 1519. L'empereur aztèque Moctézuma lui-même lui offrira du précieux breuvage, servi dans une coupe d'or. Malgré le goût inhabituel à son palais hispanique, Cortés est étonné par les vertus tonifiantes du cacao.

Pourtant, les soldats qui l'accompagnent ne partagent pas sa surprise, ils qualifient même la boisson de « nourriture à cochons ». Devant autant d'amertume, les religieux installés depuis peu à Oaxaca ont l'idée d'adjoindre au *xocoatl* un peu de vanille et de sucre de canne. C'est l'acte de naissance de notre chocolat. En 1528, Cortés fait parvenir la première cargaison de cacao en Espagne. Le chocolat ne tarde pas à tourner la tête de la noblesse espagnole. Charles Quint accorde alors aux Espagnols le monopole du commerce et de la production du cacao, monopole qu'ils garderont durant un siècle.

At the same time as the conquistadors arrived, the Western world discovered Theobroma cacao linnea. *After the time of Christopher Columbus, who wasn't interested in the precious bean, seeing it more as a vulgar bargaining tool, Hernán Cortés discovered the future chocolate during the conquest of Mexico in 1519. He was given some of the precious drink by the Aztec Emperor Montezeuma himself, served in a golden cup. Despite the unusual taste, different from that of his Hispanic palate, Cortés was surprised by the cocoa's refreshing qualities.*

However, the accompanying soldiers didn't share his surprise, going so far as to call the drink 'good enough for 'pig swill'. To combat the drink's bitterness, the local clergymen who had started to settle in Oaxaca came up with the idea of adding vanilla and sugar cane to the chocolatl. This was the real birth of chocolate. In 1528, Cortés organised the first delivery of cocoa beans to Spain. Chocolate didn't take long to turn heads among the Spanish nobility. Charles Quint gave the Spanish the monopoly over the sale and production of cocoa, a monopoly they kept for a century.

En Europe, le chocolat fait un tabac

In Europe, chocolate causes a storm

Avec la fin de la suprématie espagnole sur les mers, le chocolat se diffuse dans l'Europe entière ; tout d'abord en Italie (1594), puis, avec le mariage d'Anne d'Autriche et de Louis XIII, en France (1615), en Angleterre (1657) et enfin sur le territoire allemand (1658). Tant apprécié pour ses propriétés aphrodisiaques et diététiques que pour l'exotisme de sa saveur, le chocolat fait succomber l'aristocratie européenne.

La production de cacao et de son indispensable compagnon, le sucre de canne, augmentent considérablement. On cultive le cacaoyer au Mexique, bien sûr, mais aussi aux Antilles et en Amérique latine. Les grandes puissances européennes cherchent à l'implanter, avec réussite, dans leur colonie. L'arbre de l'ombre fleurit bientôt dans la moiteur des tropiques africains et des îles de la Sonde.

Les Français ne sont pas en reste. Après avoir donné en 1659 le monopole de la vente du breuvage à David Chaillou, qui ouvre ainsi dans le quartier des Halles à Paris la première chocolaterie française, Louis XIV se voit concurrencer dans ses amours par l'envoûtante boisson : son épouse, Marie-Thérèse d'Autriche, éprouve en effet une passion éperdue pour ce chocolat. Sa consommation reste pourtant le privilège de la cour et de la bourgeoisie montante. Avec la fin du monopole accordé à David Chaillou, sa fabrication devient possible pour les apothicaires et autres marchands d'épices. Les scientifiques et hommes de lettres suivent aussi la marche : Pierre Masson traite de sa préparation dès 1705 dans *Le Parfait Limonadier, ou la manière de préparer le thé, le café, le chocolat et autres liqueurs chaudes et froides* ; sa culture est théorisée par Jean-Baptiste Labat en 1722, dans son livre sur les Antilles, *Nouveau Voyage aux îles de l'Amérique.*

Following the end of the Spanish supremacy over the seas, chocolate began to spread across the whole of Europe: first in Italy (1594), then with the marriage between Anne of Austria and Louis XIII in France (1615), in England (1657), and finally in the country now known as Germany (1658). Appreciated as much for its aphrodisiacal and dietary properties as for its exotic taste, chocolate brought the European aristocracy to its knees.

Cocoa production, along with the now indispensable sugar cane, rose considerably. The cocoa tree was of course grown in Mexico, but also in the Antilles and in Latin America. The great European powers succeeded in creating plantations in many of their colonial possessions. The tree soon blossomed in the moist African tropics and on the Sunda Islands.

The French were not to be left out. After having given the sales monopoly of the drink to David Chaillou in 1659, which saw the opening of the first French chocolate seller in the quarter of Paris called Les Halles, Louis XIV was no longer the only one to appreciate the delicacy: his wife, Marie-Therese of Austria, also had a deep passion for chocolate. Eating this delicacy remained of course a privilege of the court and the bourgeoisie. But with the end of Chaillou's monopoly, it became possible for apothecaries and spice merchants to make chocolate. Both scientists and men of letters followed the trend: in 1705, Pierre Masson looked at the chocolate question in his work The Perfect Lemonade Maker, or how to prepare tea, coffee, chocolate and other hot and cold liqueurs. *His ideas were enlarged upon by Jean-Baptiste Labat in 1722, in his book on the Antilles,* New voyage to the American Islands.

De l'artisanat à l'industrie

From craftwork to industry

Un embryon d'industrie se forme. En 1770, la Compagnie française des chocolats et des thés Pelletier & Cie est créée à Paris. En 1778, Doret présente la première broyeuse hydraulique à la faculté de médecine de Paris. Ce n'est pas encore la grande industrie chocolatière qui nous est familière, mais l'idée d'une production mécanisée est à présent en germe. En dépit de ces avancées, la Révolution française empêche, pour un temps, les techniques d'évoluer.

En 1821, l'Anglais Cadbury invente le premier chocolat à croquer. Mais c'est du côté des Pays-Bas que nous parvient l'invention majeure du début du XIXe : en 1828, un certain Van Houten découvre le cacao en poudre et en dépose le brevet.

À la fin des guerres napoléoniennes, la France rattrape rapidement son retard. Et avec la révolution industrielle, la production chocolatière prend un ultime et décisif essor. En 1825, Jean-Antoine Brutus Menier installe à Noisiel la première industrie mécanisée produisant du chocolat. Un peu partout en Europe les innovations fleurissent. Henri Nestlé, jeune ingénieur sensibilisé par l'importante mortalité infantile de l'époque, découvre en 1875 le lait en poudre. Tobler, dont l'usine est voisine de celle de Nestlé, utilise cette invention et met au point la fabrication du chocolat au lait. Deux grands noms de la chocolaterie étaient nés. De son coté, Lindt invente le procédé du conchage, technique conférant au chocolat plus d'arôme et de finesse.

An industry embryo was now formed. In 1770, the 'Compagnie française des chocolats et des thés Pelletier & Cie' (French chocolate and tea company, Pelletier) was set up in Paris. In 1778, Doret presented the first hydraulic gruider to the medecine faculty of Paris. It wasn't quite the chocolate industry with which we are now familiar, but the idea of a mechanised product was here in the making. However, the French Revolution briefly prevented these techniques from evolving.

In 1821, the Englishman Cadbury invented the first biteable chocolate. But the major invention at the beginning of the 19th Century came from the Netherlands: in 1828, a certain Van Houten made his mark by discovering powdered cocoa.

At the end of the Napoleonic wars, France quickly made up for lost time. And with the Industrial Revolution, chocolate production received a massive boost. In 1825, Jean-Antoine Brutus Menier set up the first mechanised chocolate making industry, in Noisiel. Throughout Europe, innovation blossomed. Henri Nestlé, a young engineer sensitive to the considerable infant mortality rate at the time, discovered powdered milk in 1875. Tobler, who owned the factory next-door to Nestlé, used this invention, and mastered the making of milk chocolate. Two big names of the chocolate world were born. Lindt then invented conching, a technique that gave the chocolate more aroma and finesse.

Un produit de grande consommation

A product of mass consumption

Le XXe siècle et la consommation de masse donnent à l'industrie chocolatière son visage actuel. La première barre de chocolat est mise en vente à Chicago en 1923 par l'Américain Franck C. Mars. Durant l'après-guerre, les producteurs de chocolat s'engagent sur la voie de la délocalisation : ainsi, en 1952, le groupe Barry implante la première unité de traitement de la fève de cacao au Cameroun, à proximité des plantations. Produit aux quatre coins de la planète, le chocolat est devenu un aliment courant. Il représente aussi un enjeu économique important dans les relations mondiales, la production des fèves étant le fait des pays du Sud, et sa transformation celui des pays du Nord.

Quelques chiffres peuvent résumer ce succès : de 115 000 tonnes à la fin du XIXe, la production annuelle de cacao atteint aujourd'hui 3 000 000 tonnes. La nourriture des dieux est bien devenue celles des hommes.

The 20th Century and mass consumption have made the chocolate industry what it is today. The first bar of chocolate was put on sale in Chicago in 1923, by the American Franck C. Mars. After the war, chocolate producers started down the path towards delocalisation: thus, in 1952, the Barry group set up the first cocoa bean treatment unit in Cameroun close to the plantations. Now produced all over the world, chocolate really has become a global food. It also represents a significant stake in international relations, as the production of the beans takes place in the Southern countries, and their transformation in the North.

A few figures can be used to summarise chocolate's amazing success: from 115,000 tonnes at the end of the 19th Century, annual cocoa production amounts to 3,000,000 tonnes. The food of the gods has become the food of man.

CHRONOLOGIE

CHRONOLOGY

IVe-X^e^ - Les Mayas cultivent le cacaoyer.
XIVe-XVIe- Les Aztèques préparent une boisson tirée de la fève de cacao, le *xocoatl*.
1492 - Christophe Colomb, en abordant les îles du golfe du Mexique, découvre la fève.
1528 - Hernán Cortés, conquérant du Mexique, envoie une première cargaison de fève en Espagne.
1594 - Le chocolat est introduit en Italie.
1615 - Mariage d'Anne d'Autriche et de Louis XIII. Par cette union, la France découvre le chocolat.
1657 - Les Anglais goûtent et adoptent la breuvage.
1658 - Les Allemands tombent à leur tour sous le charme de sa saveur insolite.
1659 - David Chaillou reçoit des mains de Louis XIV le monopole de la vente du chocolat.
1770 - La Compagnie française des chocolats et des thés Pelletier & Cie voit le jour à Paris.
1778 - Invention de la broyeuse hydraulique par Doret.
1821 - Cadbury invente le chocolat à croquer.
1825 - Installation à Noisiel de l'usine de Jean-Antoine Brutus Menier.
1828 - Van Houten fabrique le premier cacao en poudre.
1875 - Henri Nestlé découvre le lait en poudre et Tobler la fabrication du chocolat au lait.
Lindt invente le conchage.
1923 - Première barre chocolatée fabriquée par Franck C. Mars.
1952- Barry Callebaut implante la première usine de traitement à proximité des lieux de production.

4th-10th - The Mayas cultivate the cacao tree.
14th-16th - The Aztecs make a drink from the cocoa bean, called xocoatl.
1492 - Christopher Columbus, arriving on the islands in the Gulf of Mexico, discovers the bean.
1528 - Hernán Cortés, conqueror of Mexico, sends the first cocoa bean delivery to Spain.
1594 - Chocolate is introduced to Italy.
1615 - Marriage of Anne of Austria and Louis XIII. Through this union, France discovered chocolate.
1657 - The English taste and adopt the drink.
1658 - The Germans fall under the charms of the mysterious flavour.
1659 - Louis XIV grants David Chaillou the monopoly over chocolate sales.
1770 - The Compagnie française des chocolats et des thés Pelletier & Cie *is born in Paris.*
1778 - Invention of the hydraulic grinder by Doret.
1821 - Cadbury invents the first biteable chocolate.
1825 - Jean-Antoine Brutus Meunier's factory is set up at Noisiel.
1828 - Van Houten makes the first cocoa powder.
1875 - Henri Nestlé discovers powdered milk and Tobler makes the first milk chocolate.
Lindt invents conching.
1923 - First chocolate bar, made by Franck C. Mars.
1952 - Barry Callebaut set up the first treatment unit near to the production area.

Au cœur du cacaoyer

AT THE HEART OF THE COCOA TREE

UN ARBRE QUI CRAINT LE SOLEIL

A TREE THAT DISLIKES THE SUN

Le cacaoyer est un arbre fruitier qui a besoin de l'ombre de ses voisins pour s'épanouir et parvenir à maturité. Il cohabite ainsi souvent avec le citronnier, le bananier mais aussi, et surtout, avec l'érythrine, surnommée pour cela la mère du cacao. À l'état sauvage, sa germination ne peut se faire qu'accidentellement, par l'action, par exemple, de la prédation d'un animal voulant se nourrir de ses cabosses, laissant ainsi tomber les fèves contenues dans les fruits, sur le sol. La germination se fait rapidement ; de jeunes pousses d'un vert tendre apparaissent après quelques semaines.

Il existe de nombreuses espèces de cacaoyer, mais celle que l'on cultive se dénomme *Théobroma cacao linnéa*. Dans les plantations, la taille de cet arbre ne doit pas excéder les 5 à 7 mètres. D'une longévité de 25 à 30 ans, il demande une humidité constante ainsi qu'une température moyenne annuelle de 25 °C. Pour toutes ces raisons, on le cultive dans la zone équatoriale, entre 20° de latitude nord et 20° de latitude sud.

The cocoa tree needs the shade of its neighbours to spread and reach maturity. Which is why it grows not only alongside lemon and banana trees, but also the erythrina, nick-named the cocoa mother for this reason. In the wild, it only ever takes seed accidentally, for example if an animal feeding off the pods causes the beans to drop on the ground. It takes seed quickly, and within a few weeks green shoots start to appear.

There are many different types of cocoa tree, but only one is cultivated, the Theobroma cacao linnea. *In the plantations, the tree shouldn't exceed 5 to 7 metres (16 to 23 feet) in height. It lives for between 25 and 30 years, grows in constantly humid climates, and therefore needs an average temperature of 25 °C (77 °F), throughout the year. For these reasons, it is cultivated primarily around the Equator, between 20° north and south.*

UNE FLORAISON COMPLEXE POUR UN FRUIT FRAGILE

A COMPLICATED FLOWERING FOR A FRAGILE FRUIT

Le cacaoyer possède des feuilles persistantes poussant tout au long de l'année. Ces feuilles ressemblent quelque peu à nos feuilles de châtaignier, dentelées et mesurant de 20 à 50 centimètres de long pour une largeur de 7 à 12 centimètres.

La floraison est constante, donnant naissance à des fleurs minuscules (8 mm de diamètre) qui rappellent celles du myosotis. De couleur blanche presque rose, ces fleurs apparaissent sur des arbres âgés au minimum de 3 ans. Elles sont visibles sur l'ensemble de l'arbre, du tronc aux branches secondaires.

Environ 1 % de ces fleurs parviennent au stade de cabosse, après une maturation de 5 à 7 mois. Cette cabosse se présente sous la forme d'un fruit de taille importante de forme ovale. La couleur des cabosses est très variable, allant du vert au violet en passant par l'orange. L'intérieur est rempli de pulpe blanchâtre à forte teneur en sucre (le mucilage) dans laquelle on découvre cinq sillons longitudinaux contenant les fèves. Le poids moyen d'une cabosse est de 400 à 500 grammes, mais certains spécimens peuvent atteindre 1 kg. Les cabosses contiennent généralement entre 30 et 40 fèves d'environ 10 grammes chacune.

The cocoa tree's leaves are constantly growing. They resemble our jagged chestnut tree leaves, and are between 20 to 50 cm (8-20 in) long and between 7 to 12 cm (2.7-4.7 in) wide.

The flowering is also constant, producing tiny flowers 8 mm (0.3 in) in diameter that remind one of the forget-me-not. White pinkish in colour, these flowers appear on trees of at least 3 years of age. They grow in clusters all over the tree, from the trunk to the small branches.

Only 1% of these flowers is pollinated and develops into a pod, a process which lasts between 5 and 7 months. This pod is like a big oval-shaped fruit. They usually change colour, going from green and purple to orange. The inside is filled with a white pulp, which contains high amount of sugar (mucilage) and in which lie five lines containing the beans. The average pod weighs 400 to 500 g (14 oz to 1.1 pounds), but some can reach 1 kg (2.2 lb). They usually contain between 30 and 40 beans, each weighing 10 g (0.4 oz) on average.

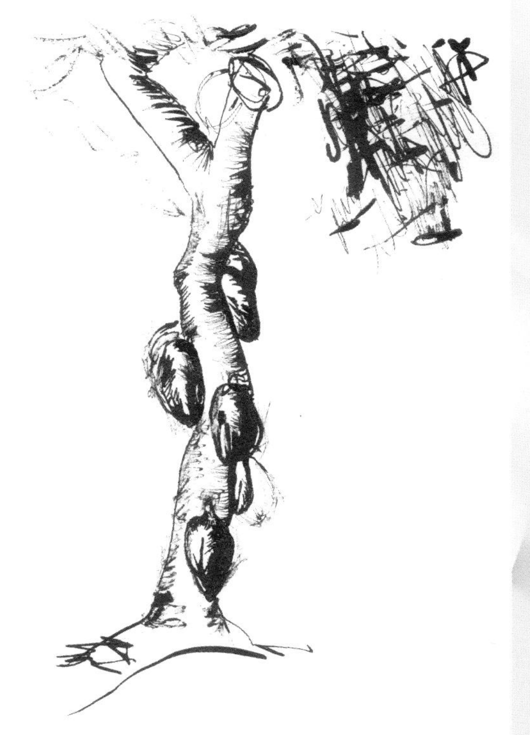

À l'intérieur se cache un trésor...

On the inside hides a treasure...

Ces fèves contiennent deux cotylédons (lobes).
Ceux-ci concentrent toutes les propriétés du futur cacao : ils sont riches en matières grasses (50 %), et on y décèle également la présence de tanins et polyphénols (7 %), de glucides (12 %), de protéines (10 %), de fibres (17 %) et, enfin, de cafeïne, de théobromine (deux principes actifs), de sels minéraux et d'oligoéléments.

On récolte les cabosses deux fois par an. La récolte principale a lieu entre octobre et février (85 % des quantités récoltées), la seconde entre mai et début juillet. Les rendements à l'hectare sont d'environ 300 à 400 kg, mais on a déjà enregistré des rendements pouvant atteindre une tonne.

On peut multiplier le nombre d'arbres par différentes techniques de propagations :
- l'ensemencement (on plante une graine dans le sol) ;
- la bouture (une jeune pousse est prélevée de la plante puis replantée, créant ainsi un nouveau pied) ;
- la greffe (une branche ou un bourgeon est détaché d'un premier arbre puis inséré sur un nouveau, apportant ainsi à cet arbre les caractéristiques de l'arbre d'origine).

The beans each contain two cotyledons (nibs). These contain all the properties of the future cocoa: they are rich in fat (50%), but also in tannins and polyphenol (7%), glucose (12%), protein (10%), fibre (17%) and finally caffeine and theobromine (two active agents), mineral salts and trace elements.

The pods are harvested twice a year. The main harvest is between October and February (about 85%), and the second is between May and July. This amounts to approximately 300 to 400 kg (660 to 880 lb) per hectare, even though on some exceptional occasions, it can reach a tonne.

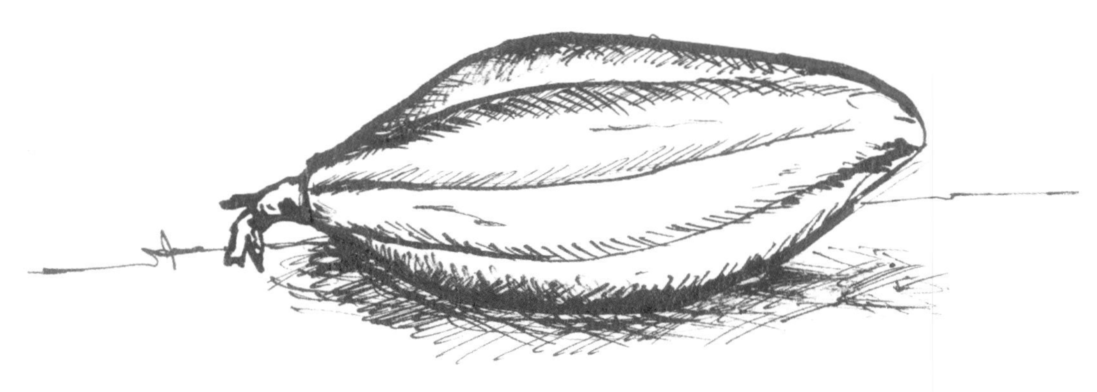

Trees can multiply using different spreading techniques:
- sowing (planting a grain in the earth) ;
- cutting (a young shoot is taken from one plant and then replanted, creating a new one) ;
- grafting (a branch is taken from one tree and inserted into another, giving the new tree the same characteristics as the first).

Un fruit apprécié aussi par les parasites
A popular fruit among parasites

Les précieuses cabosses sont la proie d'une horde d'insectes et de champignons, rendant les récoltes incertaines. Parmi ces parasites, un champignon est fréquemment rencontré, responsable de ce que l'on appelle communément « la pourriture brune », maladie pouvant détruire des récoltes entières.

L'arbre lui-même est parfois la victime de ces parasites. Un autre champignon est ainsi à l'origine de la maladie dite du « balai de sorcière ». Il empêche la floraison, donc la maturation des cabosses, et s'attaque aux tissus de l'arbre. Un cacaoyer touché par cette maladie est facilement reconnaissable, puisque, par réaction, il multiplie son branchage, ce qui le fait ressembler à un balai.

L'essentiel des recherches actuelles consiste à développer la résistance des cacaoyers à ces maladies.

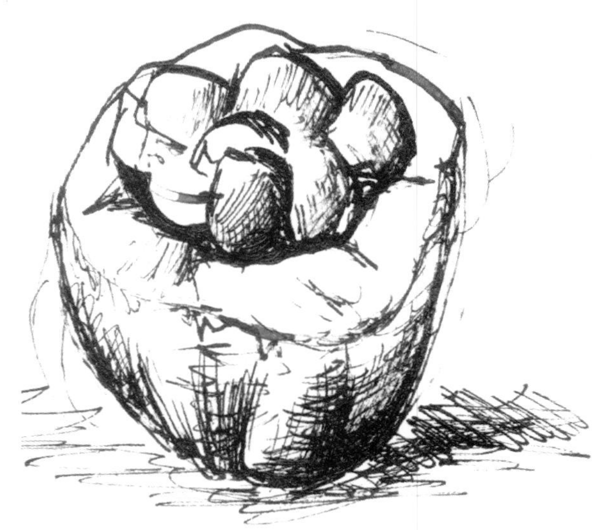

The precious pods are prey to a horde of insects and fungus, making the harvest extremely unpredictable. Funguses are very common, and are responsible for what is known as 'the black pod', a disease capable of destroying entire harvests.

The tree itself is sometimes a victim of parasites. Another fungus is at the root of the disease known as 'Witches broom'. It prevents flowering, and therefore the maturity of the pods, and directly attacks the tree's tissue. A cocoa tree suffering from this disease is easy to see, because as a reaction its branches multiply, making it look like a broom.

Most of the current research looks at how to develop an adequate resistance to these diseases.

À chaque variété son arôme

Different varieties, different aromas

Il existe plusieurs variétés de l'espèce cultivée. On les regroupe suivant trois catégories : les criollo, les trinitario et les forastero, chacune aux qualités de cacao différentes.

Les criollo sont cultivés en Amérique centrale et dans quelques parties de l'Asie. Ils présentent des cabosses rouges ou vertes de forme très allongée et pointue. Les fèves de ces cabosses sont peu amères et possèdent un arôme délicat. Pour ces raisons, le cacao qui en est extrait est utilisé en chocolaterie de luxe. Variétés fragiles, les criollo ont peu attiré l'attention des chercheurs. Ils représentent aujourd'hui 5 à 8 % de la production mondiale.

Les trinitario sont des hybrides du criollo et du forastero. Identifiés sur l'île de Trinidad, ils possèdent des cabosses de caractéristiques très variables. Le cacao extrait de ses fèves est riche en matières grasses et possède un arôme proche de celui des criollo. Les trinitario sont cultivés dans toute la zone équatoriale, là où étaient cultivés les criollo. Ils représentent 20 % environ de la production mondiale.

Enfin, les forastero fournissent la majorité du cacao dans le monde (70 % de la production). Originaires d'Amazonie, ils sont surtout cultivés en Afrique de l'Ouest, au Brésil et en Équateur. Ses cabosses sont jaunes lorsqu'elles sont mûres. Ses fèves fournissent un cacao amer, légèrement acide.

Arbre à la culture difficile, le cacaoyer est l'objet d'une attention de chaque instant. Ainsi cultivé, il répond aux attentes du cultivateur en fournissant une matière première de qualité.

There are several varieties of cocoa tree within the cultivated species. They are grouped into three categories: the Criollo, the Forastero and the Trinitario, and all produce a different quality cocoa.

The Criollo are cultivated in Central America and in some parts of Asia. They have red or green pods, which are long and pointed. The beans from these pods are not especially bitter, and they have a delicate aroma, which is why the cocoa is used for luxury chocolate. The Criollo are fragile, vulnerable trees, and they received little attention from researchers. Today they represent 5 to 8% of global production.

The Trinitario are a hybrid of the Criollo and the Forastero. Identified in Trinidad, they have a variety of pods. The cocoa extracted from their beans is rich in fat and has a similar aroma to the Criollo. The Trinitario are cultivated in the Equatorial Zone, in the same areas as the Criollo. They represent approximately 20% of global production.

Finally, the Forastero make up the largest percentage of cocoa in the world (70% of global production). Originally from the Amazon, they are mainly cultivated in Western Africa, Brazil and the Equator. Their pods are yellow when ripe. The cocoa from their beans is bitter and slightly acidic.

With difficult growing conditions, the cocoa tree needs constant attention. But when cultivated, it responds to the needs of its cultivators, by providing a first quality product.

De la fève à la tablette

FROM BEAN TO BAR

Pour la fabrication du cacao, opération délicate et complexe, on procède la plupart du temps en deux étapes. La préparation ainsi qu'une première transformation du fruit se fait sur les lieux de la plantation même. Par la suite, les ultimes traitements de la fève et la production de cacao et de chocolat sont effectuées en usine.

Cocoa making, a delicate and complicated operation, is usually carried out in two stages. The preparations and initial transformations of the cocoa fruit are done at the plantation itself. The more rigorous treatment of the bean, resulting in the final production of cocoa and chocolate, takes place in the factory.

DE LA RÉCOLTE AU SÉCHAGE : LE TRAVAIL À LA PLANTATION

FROM HARVESTING TO DRYING: WORK AT THE PLANTATION

Une fois les cabosses parvenues à maturité, on procède à leur récolte. On réussit à déterminer la maturité d'une cabosse suivant deux critères : sa couleur et le bruit obtenu par une simple frappe du doigt sur le fruit. On peut récolter jusqu'à 1 500 cabosses par jour et par cueilleur.

Le fruit récolté, vient l'étape de l'écabossage : on retire les fèves des cabosses par éclatement de celles-ci. Les fèves sont extraites à la main et séparées du mucilage. L'écabossage doit intervenir dans les quatre jours suivant la cueillette.

La fermentation fait suite à l'écabossage. Il ne doit pas s'écouler plus de 24 heures entre ces deux opérations. On dépose les graines dans des paniers ou des caisses en bois d'une contenance variable (de 100 kg à une tonne). La température s'élève naturellement de 45 à 50 °C. Une odeur d'alcool se dégage alors de l'ensemble. Les graines ainsi déposées sont brassées régulièrement, permettant une fermentation aérobie. La fermentation permet de se débarrasser des reliquats de mucilage et d'empêcher la germination. La structure biochimique du cotylédon change, provoquant un changement de couleur et une plus grande aptitude aromatique. La fermentation dure de 3 à 7 jours.

C'est ensuite le moment du séchage. Les fèves sont déposées sur des claies ou bien des bâches exposées au soleil ou encore disposées dans des séchoirs. Il s'agit de stopper la fermentation en abaissant le taux d'humidité à l'intérieur de la fève. Le produit obtenu, d'une couleur brune caractéristique, est alors commercialisable : on l'appelle pour cela le cacao marchand.

Du fait de la forte hygrométrie et des hautes températures communes aux pays tropicaux où se trouvent les plantations, le stockage des fèves après séchage peut causer de véritables problèmes : pourrissement dû au lieu de stockage inadéquat ou au non-respect des règles d'hygiène.

Les fèves de cacao ainsi traitées sont donc envoyées aux industries de transformation.

Once the pods have reached full maturity, they can be harvested. Maturity is judged according to two criteria: its colour, and the noise it makes when lightly tapped. A fruit picker can pick up to 1,500 pods a day.

Once it is harvested, the fruit must be opened: the pods are broken, the beans are removed by hand, and are separated from the mucilaginous pulp. The pods should only be opened within the four days immediately after they are picked.

Fermentation is the next step. It should take place no more than 24 hours after the pods are opened. The grains are put in baskets or wooden boxes, which can contain from 100 kg (3.5 ounces) to one tonne. The temperature rises naturally to 45-50 °C (113-122°F). A smell of alcohol is thus released. The grains are then regularly shaken, allowing aerobic fermentation. This eradicates any excess pulp and prevents germination. The biochemical structure of the cotyledon changes, leading to a change in colour and a stronger aroma. Fermentation lasts between 3 and 7 days.

Then comes the moment for the drying. The pods are put on trays or mats and either exposed to the sunlight or put in dryers. Lowering the level of humidity inside the cocoa bean halts the fermentation, and produces what is known as bulk cocoa, recognisably brown in colour and now ready to be sold.

Due to the hygrometry and the high temperatures in the tropical countries where the trees are grown, stocking the beans after drying can cause a number of problems: going bad because of inadequate stocking area or disrespect hygiene rules.

The treated cocoa beans are then sent to the factories.

Du nettoyage au blutage : les premières transformations en usine

From cleaning to grinding: the first transformations in the factory

À leur arrivée dans l'usine de traitement, il convient de débarrasser les fèves des impuretés restantes : c'est le nettoyage. Les fèves sont ensuite soumises à un traitement infrarouge, ce qui permet d'éliminer les ultimes éléments nuisibles à la production du cacao : la coque se détache, les derniers germes disparaissent. On peut s'attacher alors à une opération d'alcalinisation : afin de limiter l'amertume, on traite la graine avec des solutions alcalines. Cette opération, non obligatoire, est soumise à des contrôles et est réglementée par des directives européennes.

L'étape qui suit est essentielle. C'est la torréfaction : portées à une température de 100 à 140 °C durant une demi-heure, les fèves sont grillées. Les arômes, déjà formés à la fermentation, se développent, la teneur en eau devient très faible, les éventuelles bactéries sont supprimées.

Placées dans des moulins à cacao à une température de 90 °C, les graines sont soumises au broyage. On obtient alors de la pâte de cacao, appelée aussi masse de cacao. Une partie de cette pâte de cacao est envoyée en pressage. Cette opération a pour but la séparation de la partie solide, le tourteau, de la partie liquide, le beurre de cacao. Le tourteau sera passé ensuite au travers de tamis. Ce passage

Chaîne de production *Production line*

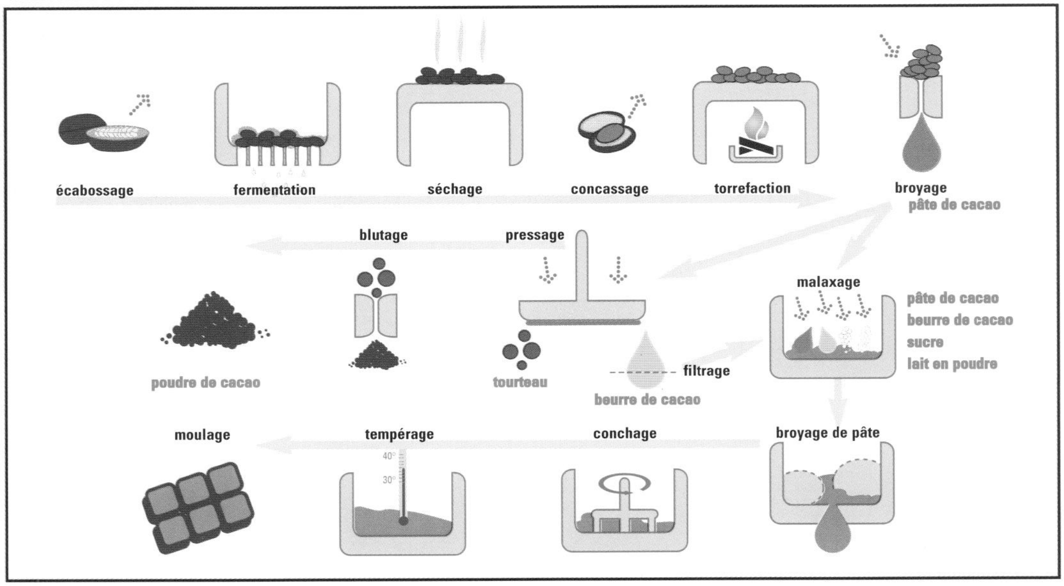

écabossage
fermentation
séchage
concassage
torrefaction
broyage
pâte de cacao
blutage
pressage
malaxage
pâte de cacao
beurre de cacao
sucre
lait en poudre
poudre de cacao
tourteau
filtrage
beurre de cacao
moulage
tempérage
40°
30°
conchage
broyage de pâte

s'appelle le blutage. Il permet d'obtenir de la poudre de cacao. Si les fèves ont subit une opération d'alcanisation, la poudre de cacao sera de couleur rouge cuivré.

Upon arrival at the treatment factory, the beans are thoroughly cleaned. All impurities are removed, and any foreign elements that might get in the way of the making are dealt with through infrared treatment: the shell is removed, and the last germs disappear. Next, the beans are given alkaline treatment to reduce their bitterness. Though not compulsory, this operation is rigorously monitored and controlled by European directives.

The next stage is essential – the roasting. The beans are grilled from 100 to 140 °C (212-284°F) for half an hour. The aroma, which already started to form during fermentation, continues to develop, the beans lose their moisture, and all bacteria are thus eliminated.

Then comes the grinding: placed in a cocoa mill at 90 °C (194°F), the beans are ground down to produce a cocoa paste, or mass. Some of the cocoa mass is sent to be pressed, which involves separating the solid press cake from the liquid cocoa butter. The solid press cake then goes through the grinding process: it is ground down to produce cocoa powder. If the beans go through alkaline treatment, the powder will be of a brassy red colour.

Les derniers pas vers le chocolat

The last steps towards the final product

Le beurre de cacao, lui, est ajouté au reste de pâte de cacao pour le malaxage. Dans un pétrin, les ingrédients du futur chocolat sont mélangés : pour obtenir du chocolat noir, on ajoute simplement du sucre et pour du chocolat au lait, du sucre et du lait en poudre. Le chocolat blanc s'obtient par un mélange de beurre de cacao, de sucre et de poudre de lait.

Ce mélange est ensuite amené pour un second broyage. Subissant la pression de cylindres, le mélange des ingrédients devient plus intime. Le grain même du chocolat devient imperceptible (granulométrie d'environ 30 microns).

Dans le but d'obtenir un mélange possédant la viscosité souhaitée et d'affiner les arômes, le chocolat est battu : c'est le conchage (du latin *conchylia*, coquillage : à l'arrivée des Espagnols, les Aztèques effectuaient cette opération à l'aide de grands coquillages). On obtient alors le chocolat liquide, base de tous nos chocolats.

Pour réaliser un chocolat solide, on doit procéder aux opérations de tempérage (cristallisation par changement de la température du chocolat liquide), éventuellement de mélange (adjonction de noisette, d'amandes, de céréales…), et, enfin, de moulage : déposé dans un moule, le chocolat encore liquide voit sa température progressivement abaissée par un passage dans un tunnel réfrigéré. Il se contracte, permettant un démoulage aisé. Suivant la forme du moule, on obtient des tablettes, des bonbons ou des barres. Le chocolat est prêt à être dégusté.

As for the cocoa butter, it is added to the rest of the cocoa paste for the blending. The ingredients of the future chocolate are put together in a mixer: for black chocolate, sugar is added, and for milk chocolate, sugar and powdered milk. For white chocolate, cocoa butter, sugar and powdered milk are are mixed together.

This mixture then goes through a second grinding. Under the pressure of the cylinders, the ingredients become more thoroughly compressed. The grains themselves are hard to recognise, with a much closer packaging of crystals (granulometry of about 30 microns).

To obtain a mixture with the required viscosity and a refined aroma, the chocolate is beaten. This is called conching, originally from the Latin conchylia*: when the Spanish arrived, the Aztecs where carrying out this process with large shells. This produces a liquid, which is the basis for all forms of chocolate.*

Solid chocolate is made through a complicated operation called tempering (crystallisation by changing the temperature of the liquid chocolate), through mixing (adding nuts, cereals, almonds) and finally the moulding – put in a mould and refrigerated, the liquid chocolate reduces in temperature and hardens, allowing an easy turning out. Depending on the shape of the mould, chocolate bars, sweets and tablets are produced. The chocolate is finally ready to be enjoyed.

PRODUCTION ET CONSOMMATION DU CACAO *Cocoa production and consumption*

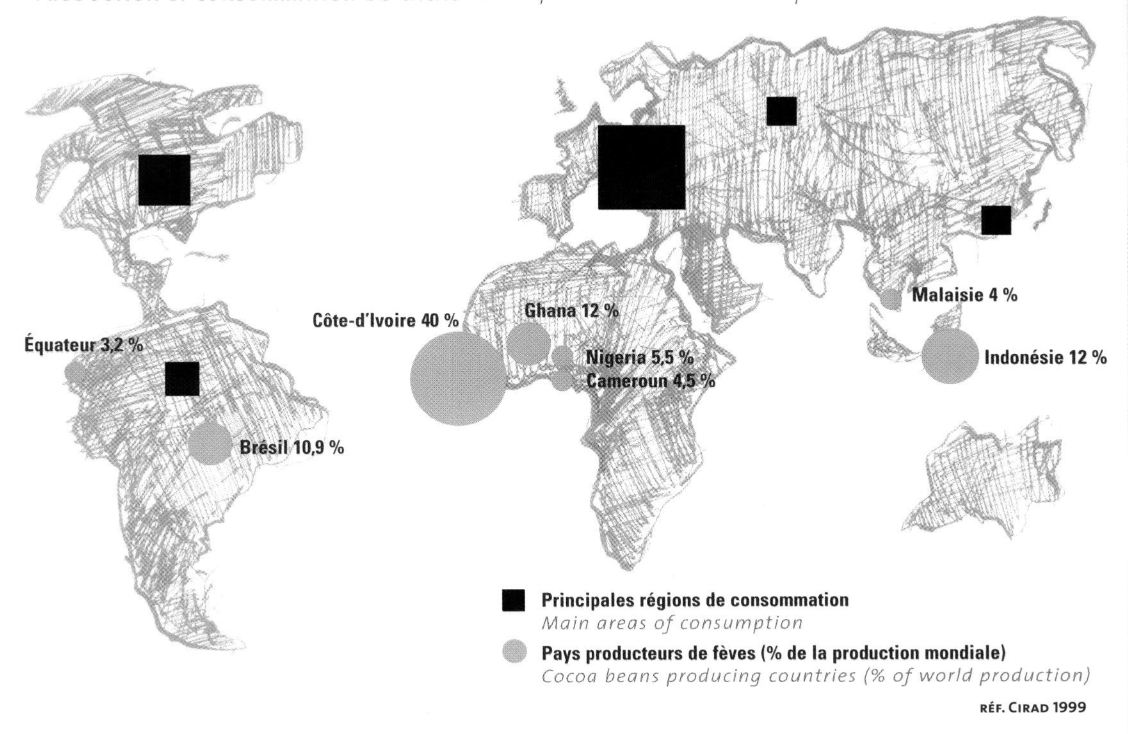

RÉF. CIRAD 1999

LA FILIÈRE CACAO,
UN ENJEU ÉCONOMIQUE DE PREMIER PLAN
THE COCOA CHAIN, A SERIOUS ECONOMIC ISSUE

La majeure partie des plantations de cacaoyer est localisée dans neuf pays : en Afrique, la Côte-d'Ivoire, le Ghana, le Nigeria et le Cameroun ; en Asie du Sud-Est, l'Indonésie et la Malaisie et, en Amérique centrale et latine, le Brésil, l'Équateur et la Colombie. On estime la production de fèves de cacaoyer à la fin du XXe siècle à 3 000 000 tonnes par an. Cette production est ensuite prise en charge par des exportateurs qui, après avoir centralisé les récoltes, revendent les fèves à des négociants. Ce sont ces négociants qui se chargent de la revente aux entreprises de transformation de fèves. Celles-ci sont essentiellement réparties dans les pays industrialisés. Ces mêmes pays se révèlent être les plus grands consommateurs de chocolat : la Suisse arrive en tête, avec 9,7 kg par an et par habitant, suivie de près par l'Allemagne, l'Irlande, la Norvège et le Royaume-Uni. La consommation en Belgique est de 6,4 kg par an et par habitant. La France est loin derrière avec une consommation de 4,9 kg.

The majority of the cacao plantations can be found in the following nine countries: in Africa – the Ivory Coast, Ghana, Nigeria and Cameroon; in South-East Asia – Indonesia and Malaysia; in Central and Latin America – Brazil, Ecuador and Columbia. Worldwide cocoa production at the end of the 20th Century was estimated at 3,000,000 tonnes per year. This production is then taken over by exporters, who, having centralised the plantation harvests, sell the beans to buyers. The buyers are in charge of reselling the transformed beans to businesses. Most buyers are spread throughout the industrialised nations. These nations are also the largest consumers of chocolate: Switzerland comes first, with 9.7 kg (21.3 lb) per inhabitant per year, followed closely by Germany, Ireland, Norway and the United Kingdom. Belgians eat 6.4 kg (14 lb).France is a long way behind, at only 4,9 kg (10.8 lb).

LA TECHNOLOGIE

Technology

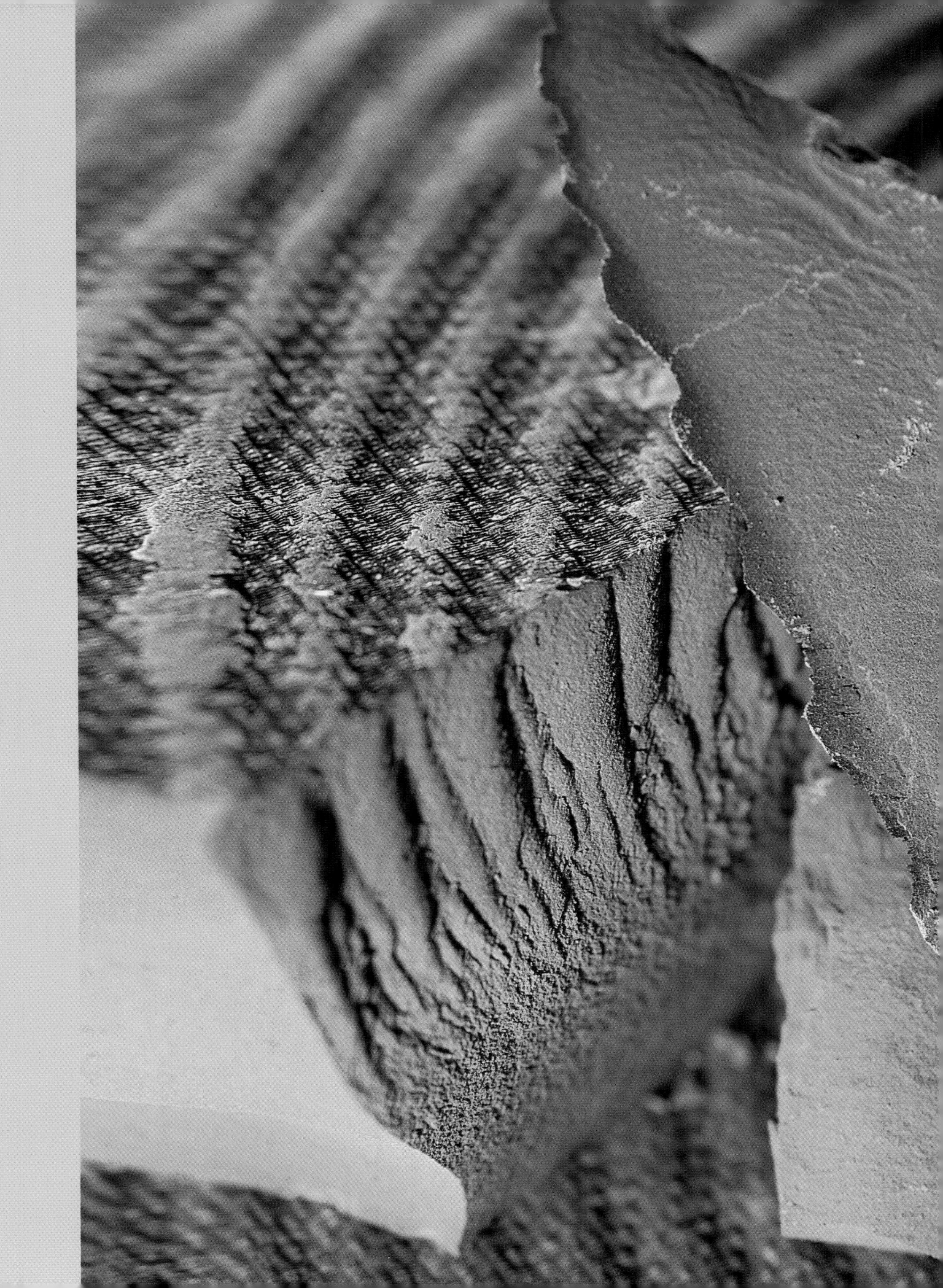

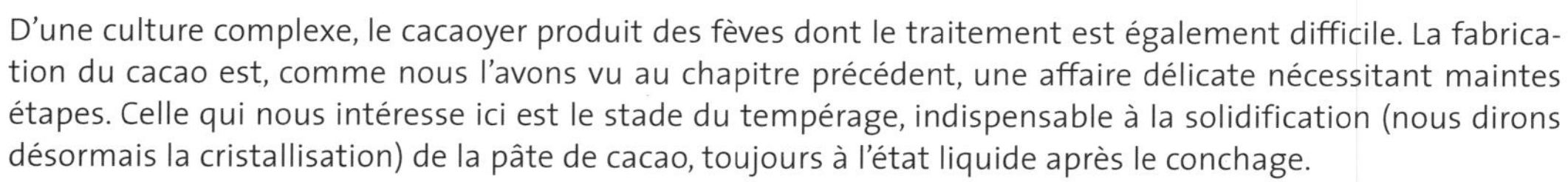

D'une culture complexe, le cacaoyer produit des fèves dont le traitement est également difficile. La fabrication du cacao est, comme nous l'avons vu au chapitre précédent, une affaire délicate nécessitant maintes étapes. Celle qui nous intéresse ici est le stade du tempérage, indispensable à la solidification (nous dirons désormais la cristallisation) de la pâte de cacao, toujours à l'état liquide après le conchage.
Il convient tout d'abord de rappeler les éléments en présence dans le chocolat et notamment dans la pâte de cacao.

Due to its complicated growing conditions, the cocoa tree produces pods that are also treated carefully. Chocolate making, as we have seen in the previous chapter, is a delicate business, involving many different stages.
The stage that interests us here is that of the tempering, crucial for the cocoa butter's solidification (from now on referred to as crystallisation) which is always in a liquid state after conching.
It helps to look again at the main elements that make up the chocolate, notably the cocoa paste.

La composition de la pâte de cacao

Cocoa paste

La pâte de cacao est obtenue par les procédés mécaniques que nous avons expliqués au chapitre précédent. Elle contient naturellement 54 % de beurre de cacao.

Cocoa paste is obtained by carrying out the mechanical procedures outlined in the previous chapter. Naturally, it contains 54% cocoa butter.

Le beurre de cacao

Cocoa butter

Le beurre de cacao est un mélange de plusieurs triglycérides. Parmi eux, on remarque la prédominance des acides oléique, stéarique et palmitique (respectivement 35,30 %, 34,50 % et 25,80 % du poids total). Ces acides gras ont des points de fusion différents : l'oléique fond à 13 °C, le stéarique à 70 °C et le palmitique à 63 °C.
La seconde propriété du beurre de cacao est d'être polymorphe, c'est-à-dire qu'il cristallise sous plusieurs formes ou cristaux, dont cinq sont prédominants. Les noms de ces cristaux sont les suivants (suivant le classement ou nomenclature de Malkin) : γ (gamma), α (alpha), β'' (bêta seconde), β' (bêta prime) et β (bêta). Ces cristaux, à l'instar des acides gras rencontrés plus haut, ont des points de fusion différents. Un seul de ces cristaux est stable : c'est le cristal bêta. Au cours des différentes phases de cristallisation, le beurre de cacao

subit des variations de volume. C'est sous sa forme de cristallisation la plus stable que le beurre de cacao, et donc le chocolat, occupe le plus faible volume.
Enfin, le beurre de cacao est monotrope, ce qui signifie qu'il a tendance à cristalliser sous sa forme la plus stable. Ce processus est toutefois très lent. L'opération du tempérage a pour but d'accélérer cette tendance.

Cocoa butter is a mixture of several triglycerides. Among them are primarily oleic, stearic and palmitic acids (respectively 35.3%, 34.5%, 25.8% of the total). These fatty acids have different melting points: the oleic melts at 13 °C (55.4 °F), stearic at 70 °C (158 °F) and palmitic at 63 °C (145.5 °F).
The second fact about cocoa butter's properties is it is polymorphous, in other words it crystallises into several forms of crystals, of which five are predominant. The names of these crystalforms are the following (according to the order established by the researcher Malkin): γ (gamma), α (alpha), β"(second beta), β' et β (beta prime and beta). These crystals, like the fatty acids above, have different melting points. Beta is the only one of these crystals to be stable. Through the different crystallisation phases, the cocoa butter undergoes changes in size. It is during the cocoa butter's most stable phase, that it has the least volume. It applies to chocolate as well.
Finally, cocoa butter is monotrop – it has a tendency to crystallise in its most stable state. This process is always very slow. The objective of the tempering process is to speed it up.

Les couvertures

The couvertures

Pour qu'un chocolat puisse obtenir l'appellation de couverture, il doit contenir au moins 31 % de beurre de cacao.

Il existe divers types de couverture :

- La couverture extra-fluide du type *Barry Glace* (ou appareil à pistolet) utilisée pour les décors et pour la finition de pièces en chocolat. Elle contient environ 60 %, ou plus, de beurre de cacao.
- Les couvertures noires du type *Favorites Mi-amère 58 %* de cacao et *Extra-bitter 64 %* ou les couvertures contenant un pourcentage plus élevé de cacao (de 70 à 75 %) et provenant de fèves de cacao bien particulières (Cuba, Saint-Domingue, Équateur ou Venezuela). Celles-ci permettent la réalisation de ganaches, de mousses et servent aussi à enrober les intérieurs en chocolat, praliné, liqueur et pâte d'amande. On s'en sert enfin pour la confection de moulage ou l'enrobage.
- Les couvertures aromatisées à l'orange, au café et autres sont utilisées dans la confection de pâtisseries, confiseries et glaces.

For a chocolate to be called a couverture, it must contain at least 31% cocoa butter.

There are different types of couverture:

- *Extra-fluid couverture Barry glace or mixture for spraying, used for decoration and chocolate piece finishes. It contains a minimum of 60% cocoa butter.*
- *Dark couvertures such as Favorites mi-amère 58% cocoa and Extra-bitter 64%, or couvertures containing a higher percentage of cocoa (70 to 75%), from a particular kind of cocoa bean (Cuba, Santo Domingo, Equator or Venezuela). These couvertures are used for ganaches, mousses, and also to coat different kinds of fillings such as chocolate, praline, liqueur and marzipan. Finally, they are used for moulding and enrobing.*
- *Orange, coffee and other flavoured couvertures are used for patisseries, confectionery and ice creams.*

Tableau des points de fusion *Melting points curve of cocoa butter*

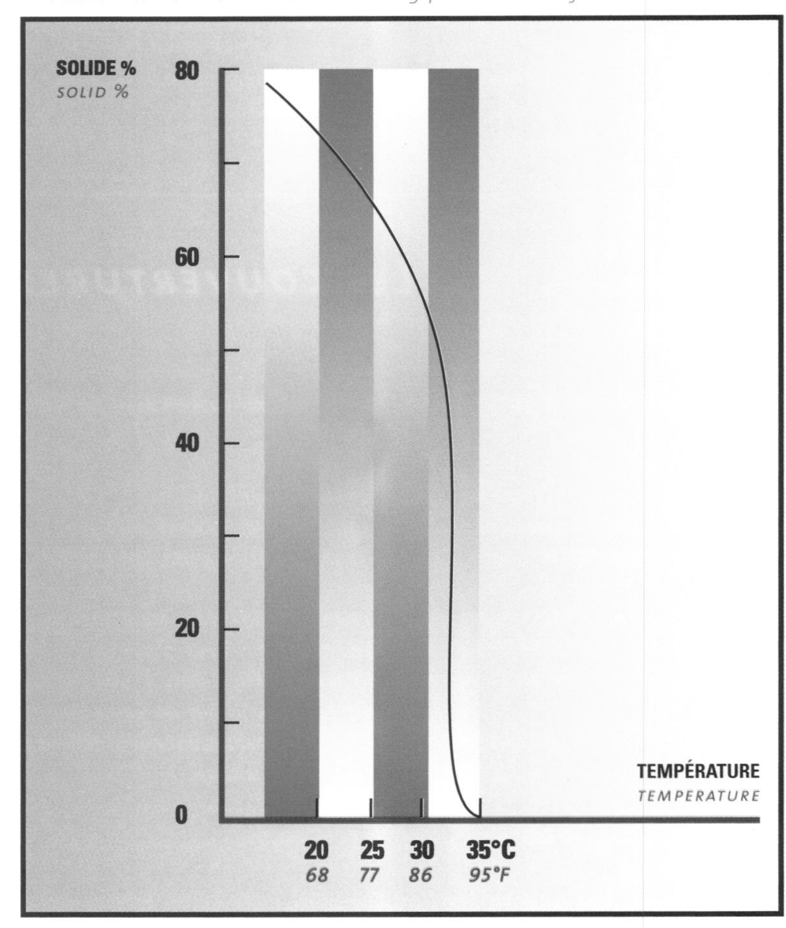

Cristallisation du beurre de cacao *Cocoa butter crystallisation*

Le tempérage

Tempering process

On peut définir le tempérage comme un procédé thermique et mécanique d'orientation de la cristallisation par sélection des cristaux les plus stables.
On assure la création dans le chocolat fondu de germes cristallins stables bêta qui assureront par la suite une cristallisation convenable de l'ensemble de la phase grasse par un refroidissement ultérieur.
Pour réussir le tempérage, il faut créer ces germes de cristaux stables : on appelle cela une création de masse cristalline d'initiation ou phase de précristallisation. Cette précristallisation dépend non seulement de la température à laquelle le produit est soumis, mais aussi de la durée de ce changement de température et de l'agitation que le produit subit. Cette agitation provoque en effet des échanges thermiques qui peuvent être néfastes à un bon tempérage.
La quantité de germes cristallins formés est également importante. En effet, si les germes de cristaux stables bêta ne sont pas en assez grande quantité, la surface non-moulée du chocolat sera granuleuse après solidification. On parle alors de sous-tempérage.
En revanche, si les germes cristallins sont trop nombreux, le démoulage sera des plus difficiles. On notera de plus un blanchiment que nous analyserons par la suite. C'est le surtempérage.
Il est donc indispensable de connaître les critères assurant le bon déroulement du tempérage. Ces critères varient suivant la composition du chocolat et le type de tempérage utilisé.

*Tempering can be defined as a thermal and mechanical procedure of crystallisation orientation, by selecting the most stable crystals.
Stable Beta crystal seeds are created in the melted chocolate, which will help a proper crystallisation of the entire cocoa butter later during cooling.
For a successful tempering, these stable crystal seeds have to be created. This is called the pre-crystallisation phase. Pre-crystallisation depends not only on the temperature at which the product is set, but also the duration of this temperature change, and the amount it is agitated. This agitation does in fact incur thermal changes within the chocolate, which can be detrimental to a good tempering.
The quantity of crystal seeds created is also important. In fact, if there aren't enough seeds of stable Beta crystals, the non-moulded chocolate surface will have a grainy texture after solidification. This is called under-tempering.
If there are too many crystal seeds, the turning out will be far more difficult. A white film can also occur, a phenomenon we will look at later. This is called over-tempering.
It is thus essential to understand the criteria required for a successful tempering. This criteria may vary depending on the composition of the chocolate and the way of tempering used.*

Comment effectuer le tempérage ?

How is tempering carried out?

Il existe plusieurs types de tempérage dont nous ne présentons ici que le tablage et l'ensemencement.
There are many types of tempering: we will explain two of them here, manual tempering and seeding.

Le tablage doit être effectué comme suit. Il convient de chauffer le chocolat à 40-45 °C. On le travaille ensuite à l'aide d'une spatule et d'un triangle sur le granit afin d'abaisser sa température. Si l'on utilise de la couverture noire, on doit descendre aux alentours de 28 °C. Avec de la couverture au lait, du chocolat blanc ou de couleur, la température doit être de 26 °C. Le chocolat commence alors à épaissir. Les cristaux bêta sont de plus en plus nombreux. On réchauffe l'ensemble jusqu'à 31-33 °C pour les couvertures noires et à 29-30 °C pour les chocolats blancs, au lait et de couleur. Les cristaux bêta sont alors prédominants. Cette méthode est très répandue chez les artisans.

For manual tempering, the chocolate is heated to 40-45 °C (104-113 °F). It is worked on a table of granite with a spatula and a metal scraper in order to reduce the temperature. For dark couverture, it has to go down to about 28 °C (82.5 °F). For milk, white or coloured couverture, the temperature should be at 26 °C (79 °F). The chocolate then begins to thicken. The Beta crystals multiply in number. The mixture is then heated to 31-33 °C (88-91.5 °F) for dark couverture and to 29-30°C (84-86°F) for white, milk and coloured. The Beta crystals are now predominant. This technique is very popular among chocolatiers.

Tempérage par tablage *Manual tempering*

Par ensemencement, on entend l'ajout de chocolat en pastilles non-fondues contenant des cristaux bêta à une masse de chocolat portée à une température de 45 °C. On procède de la manière suivante. Pour une masse de chocolat à 45 °C, on ajoute un tiers de chocolat en pastilles déjà cristallisées. On mélange les deux éléments afin de faire baisser la température à 28 °C pour les couvertures noires et à 26 °C pour les chocolats au lait, blanc et de couleur. On réchauffe ensuite la couverture (31-33 °C pour les couvertures noires et 28-29 °C pour les autres). Le chocolat est alors cristallisé.

Seeding means the adding of un-melted chocolate pistoles containing Beta crystals to a chocolate mass heated to 45°C (113°F). It is carried out in the following process. For a chocolate mass at 45°C (113°F), you add one third pre-crystallised chocolate drops. The two are mixed together to lower the temperature to 28°C (82.5°F) for dark couvertures and 26°C (79°F) for milk, white and coloured. The couverture is then reheated (31-33°C (88-93°F) for dark couvertures and 28-29°C (82.5-84°F) for milk and white couvertures). The chocolate is now crystallised.

De l'importance du refroidissement

The importance of the cooling stage

Après la cristallisation de la couverture sous sa forme la plus stable, on doit procéder à une opération de refroidissement. Cette opération est indispensable si l'on veut éviter l'apparition de cristaux instables. On compte deux types de refroidissement : le refroidissement par radiation et le refroidissement par convection.

La radiation (c'est le passage en tunnel de froid) est adaptée aux produits enrobés. La convection (mise en chambre froide) est recommandée pour les produits finis de grande taille et/ou d'épaisseur importante. Afin d'éviter la condensation, on doit en effet refroidir plus vite un produit de plus grande épaisseur. Ces deux méthodes permettent également d'éviter de choquer le chocolat par une amplitude thermique trop brutale.

After the couverture has crystallised in its most stable state, it is time for the cooling. This procedure is essential in order to prevent unstable crystals from developing. Cooling techniques can be divided into two types – cooling by radiation, and cooling by convection.
Radiation (the chocolate passes through a cooling tunnel) is adapted to coated products. Convection (the chocolate is placed in a cold room) is recommended for large or thick finished products. In order to avoid condensation, thicker products should be cooled more quickly. These two methods also ensure that the chocolate isn't shocked by too sudden a temperatures change.

La courbe de tempérage

THE TEMPERING CURVE

Toutes les manières de tempérer le chocolat et d'en assurer le refroidissement permettent de suivre ce que l'on appelle la courbe de tempérage.
Un bon suivi de cette courbe est l'unique garant d'un produit fini de qualité. En respectant les différentes phases du tempérage, on assurera au chocolat un aspect brillant, du croquant et une résistance à la rétraction. Dans le cas contraire, on s'expose à diverses déconvenues, dont les plus fréquentes sont le blanchiment gras et le blanchiment cristallin.

When carrying out any kind of chocolate tempering, one rule has to be strictly followed – the tempering curve. A good analysis of this curve is the only guarantee of a quality final product. By respecting the different tempering stages, the chocolate is sure to have a high gloss, clean snap, and a good contraction. If it isn't, you'll encounter several potential problems, of which the most common are fatbloom and sugarbloom.

COURBE DE TEMPÉRAGE *Tempering curve*

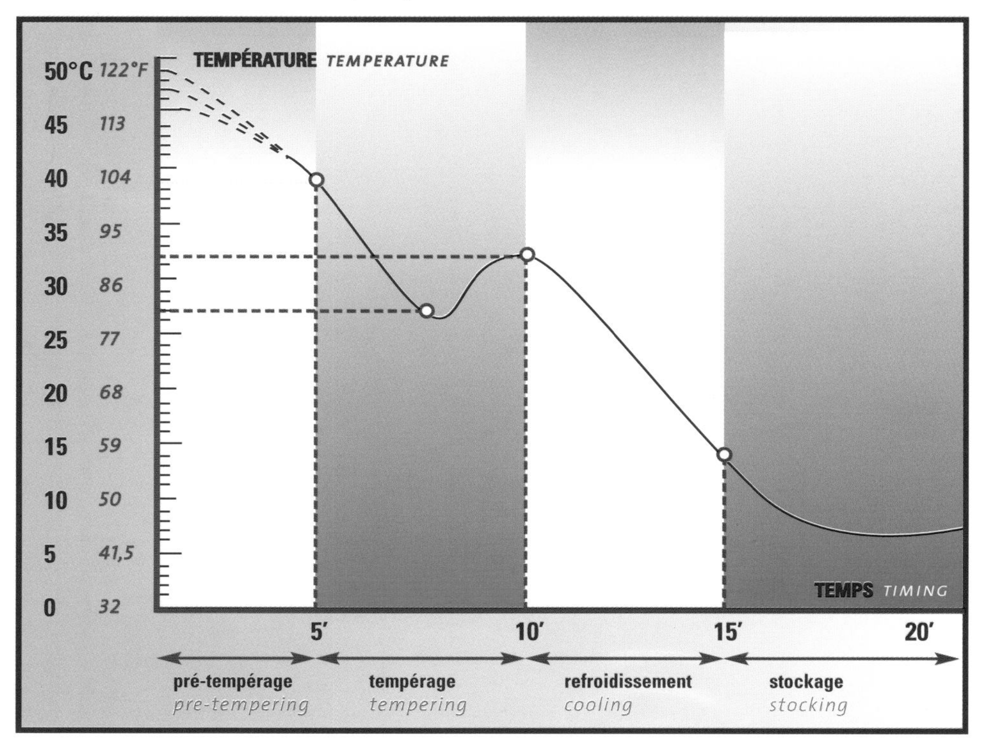

LE BLANCHIMENT GRAS ET CRISTALLIN

FATBLOOM AND SUGARBLOOM

Nous avons vu plus haut les inconvénients que pouvaient entraîner un surtempérage ou un sous-tempérage. De trop grandes amplitudes thermiques ou hygrométriques lors du tempérage ou du stockage peuvent aussi amener à l'observation d'un blanchiment gras (apparition à la surface du chocolat de beurre de cacao) ou cristallin (apparition, non pas de beurre de cacao, mais de sucre). Ces deux types de blanchiment influent sur la texture du chocolat, sur sa saveur et sur son onctuosité.
Que se passe-t-il réellement ? Il s'opère une migration du centre du chocolat vers la surface d'éléments graisseux ou sucrés qui entraîne la formation de cristaux mono-insaturés. Les raisons de ces réactions peuvent être nombreuses.
Il peut y avoir une trop grande différence de température entre la couverture et le moule. Le chocolat peut être ainsi choqué, comme nous l'avons vu au stade du refroidissement. Dans le cas d'un refroidissement par radiation, la température du tunnel de refroidissement peut être mal réglée.
La composition de la couverture peut ne pas être adaptée au tempérage suivi. Dans tous ces cas, seule une maîtrise parfaite du tempérage et du stockage peut empêcher ces blanchiments.

We looked earlier at the problems that can lead to over or under-tempering. If the thermal or hygrometric changes during tempering or storing are too high, they can also lead to fatbloom (when the cocoa butter rises to the surface of the chocolate) or sugarbloom (the rising not of cocoa butter but of sugar). These aspects influence the chocolate's texture, its tasten appearance and snap.
What happens exactly? Fat or sugar elements migrate from the chocolate centre to the surface, creating mono-unsaturated crystals. The reasons behind this transformation are numerous.

TABLEAU DES VARIATIONS DE VOLUME *Variations in the volume of the cocoa butter*

Vitesse de transformation *Speed of transformation*	→	→	→	→	→
Point de fusion *Melting point*	**17 °C** *62,6 °F*	**21,24 °C** *70,23 °F*	**28 °C** *82,4 °F*	**34,5 °C** *94,1 °F*	**36,37 °C** *97,46 °F*
Contraction *Contraction*					

For example, the difference in the temperature between the couverture and the mould can be too great, which can shock the chocolate, as we saw in the cooling stage. If the chocolate is cooled through radiation, the temperature of the tunnel can be incorrectly set. The couverture composition can be badly suited to the type of tempering. In any case, only if the tempering and the storing of chocolate are perfectly mastered, can fat- and sugarbloom be avoided.

Le stockage

THE STORING

Le stockage du chocolat solide doit répondre à quatre critères principaux :

- l'hygrométrie ;
- la température ;
- l'isolation contre les odeurs étrangères ;
- la qualité de l'emballage.

Dans le lieu de stockage, l'hygrométrie ne doit pas dépasser 60 %. Ce lieu doit être aéré et d'une température comprise entre 15 et 20 °C. De même, on ne doit pas stocker des produits odorants avec ce chocolat. Cette proximité en altérerait le goût. Un stockage de 24 à 48 heures avant emballage dans ces conditions est indispensable pour terminer le processus de cristallisation.
Enfin, l'emballage doit permettre d'éviter une éventuelle condensation tout en permettant les échanges thermiques.
Ces critères respectés, le chocolat est prêt à la consommation ou à l'expédition.

The solid chocolate should be stored according to the following main principles:

- *hygrometry;*
- *temperature;*
- *isolation from odour;*
- *quality packing.*

The hygrometry of the storage place should not exceed 60%. This place should be aerated and the temperature should be between 15 and 20 °C (59 and 68 °F). Additionally, no odorous products should be stored alongside the chocolate, as this could alter the taste. A storage time of chocolate before dispatch between 24 and 48 hours is essential for the final stage of crystallisation. Finally, the packaging should prevent any condensation, while at the same time allowing temperature exchange.
Once this process is finished, the chocolate is ready to be consumed or sent for delivery.

LES TECHNIQUES DE BASE

Basic techniques

Les techniques de base

Basic techniques

Application d'un film plastique *Laying a plastic sheet*
Application d'un film sérigraphié *Laying a silkscreening sheet*

Les décors sur plaque stratifiée et film plastique

Decorations made on a stratified board and plastic sheet

Les tubes grillagés *Wire tubes*
Le grillage *Wiring*
Les mikados et mikados roulés *Mikados and rolling mikados*
Les cheveux et pistils *Hair and stems*
Les boucles *Laces*
Les rubans *Ribbons*
Les flammèches *Flakes*
Le détaillage à plat *Flat cutting*
Les yeux *Eyes*
L'effet rayé bicolore *Two-coloured striped effect*
Les éclats marbrés *Marbled sheen*
L'incrustation de poudre *Powdering*
L'effet ajouré *Openwork effect*

Le travail direct sur granit ou sur plaque à pâtisserie

Working straight on a table of granite or a baking tray

Les cigarettes *Cigarettes*
Les copeaux *Shavings*
Les éventails et rosaces *Fans and rosettes*

Les décors sur marbre congelé

Decorations on a frozen marble slab

Les rouleaux *Rolls*
La paille *Straw*
Le nid *Nest*
Utilisation du rouleau pour effet de plissé *Using the rolls to make pleats*

Les décors sans support spécifique

Decorations without specific base

Les œufs à texture granuleuse *Grainy textured eggs*
Les algues *Seaweeds*
Le ressort *Spring*
Les tubes de petit calibre *Fine tubes*
Les cônes *Cones*
Les axes *Axes*
Élaboration d'un socle *Making a base*
L'appareil à pistolet *Mixture for spray-gun*

Introduction

Introduction

Nous présentons dans ce chapitre un assortiment de techniques de décoration. Elles permettront une réalisation plus facile des pièces présentées par la suite. On peut également les utiliser de manière indépendante.

Ces réalisations utilisent trois méthodes différentes :

- les décorations effectuées sur plaque stratifiée et film plastique ;
- le travail direct de la couverture sur le granit ;
- le décor sur marbre congelé.

Pour chacune des techniques présentées, nous indiquons le matériel utilisé et le type de couverture avec laquelle nous avons travaillé.
La plupart des pièces et effets décoratifs présentés ici sont simples à réaliser. Ils peuvent servir de point de départ à d'autres innovations. Nous laissons bien entendu la liberté à chacun de s'en inspirer et de donner libre cours à son imagination.

This chapter will deal with a set of various decoration techniques. These allow for a much easier making of the pieces shown. They can also be used separatly.

These techniques follow three different methods:

- *decorations made on a stratified board and plastic sheet;*
- *preparation of the couverture directly on a table of granite;*
- *decoration on frozen marble slab.*

For each of the following techniques, we'll point out the necessary utensils and the type of couverture we worked with.
Most of the pieces and the decoration effects shown after are easy to make. They can be a starting point for other inventions. We obviously let you free to take inspiration from them to let your imagination work.

***La technique** qui suit est essentielle. L'utilisation de la plaque stratifiée permet d'éviter une cristallisation trop rapide. Le film plastique, lui, facilite le décollage du chocolat, lui donnant un effet plus brillant et plus croquant. L'application du film plastique sur plaque stratifiée est utilisée dans la majorité des techniques de base qui vont suivre.*

This technique is essential. Using a stratified board helps to prevent crystallisation occurring too quickly. The plastic sheet makes it easier to remove the chocolate, giving it a shinier effect. Laying the plastic sheet on the stratified board is used in the majority of the basic techniques explained in this section.

Application d'un film plastique
sur une plaque stratifiée

Laying a plastic sheet on a stratified board

Humidifiez la plaque stratifiée afin d'empêcher d'éventuels glissements du film. Appliquez le film plastique sur la plaque stratifiée. Passez un triangle sur le film pour chasser les bulles d'air. Le film est alors prêt à l'emploi.

Moisten the stratified board gently so the plastic sheet sticks, and to prevent sliding. Lay the plastic sheet on the stratified board. Slide a metal scraper across the sheet to get rid of air bubbles. The sheet is now ready to be used.

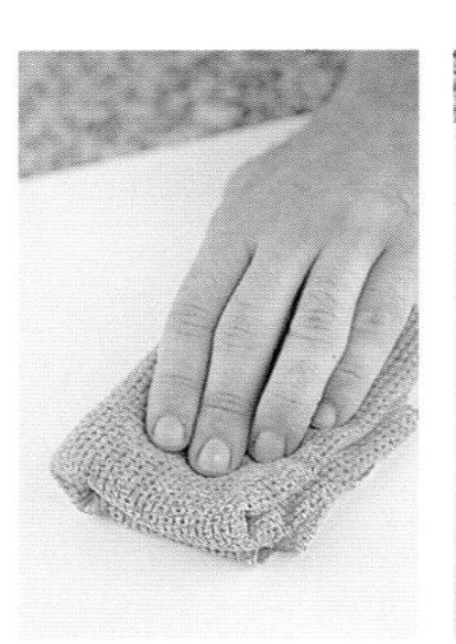

Application d'un film sérigraphique
sur une plaque stratifiée

Laying a silkscreening sheet on a stratified board

C'est une variante de l'application du film plastique. Dans le cas présent, le film est orné de motifs de beurre de cacao qui se reproduiront sur le chocolat cristallisé. Humidifiez la plaque. Appliquez le film sérigraphique. Appliquez un film neutre sur le film sérigraphique pour en éviter la détérioration lors du passage du triangle. Passez le triangle puis étalez le chocolat. Laissez cristalliser. Retournez l'abaisse de chocolat. Enlevez le film plastique : le chocolat est imprimé.

This is an alternative to the plastic sheet. In this example, the sheet is decorated in a pattern made of cocoa butter which will come out on the crystallised chocolate. Moisten the stratified board. Lay the silkscreening sheet. Place a plain sheet on top of the silkscreening sheet to protect it from the metal scraper. Slide the metal scraper and spread the chocolate. Leave to crystallise. Turn over the rolled out chocolate. Remove the sheets to reveal the printed surface.

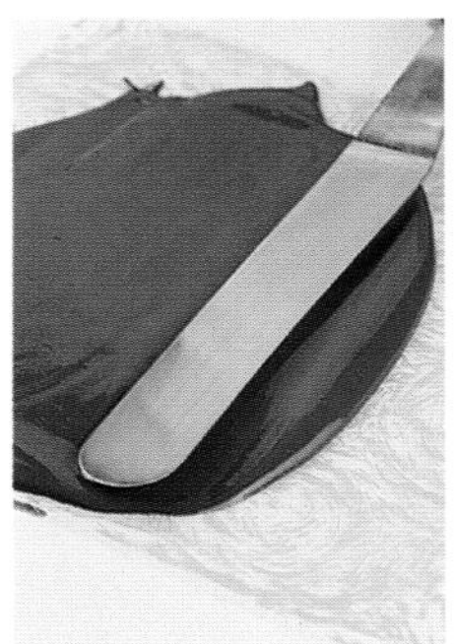

Les décors sur plaque stratifiée et film plastique

L'utilisation de la plaque stratifiée permet d'éviter une cristallisation trop rapide. Le film plastique, lui, facilite le décollage du chocolat tout en lui donnant un effet plus brillant et croquant.

Decorations made on a stratified board and plastic sheet

Using a stratified board helps to prevent crystallisation occurring too quickly. The plastic sheet makes easier to remove the chocolate, giving it a shinier effect.

Les tubes grillagés

Wire tubes

Déposez un film plastique sur une plaque stratifiée et réalisez un rectangle à l'aide d'un cornet rempli de couverture tempérée et remplissez ce cadre de grillage.
Consolidez les bords du rectangle. Le rabat des deux extrémités en sera plus facile.
Rabattez le film puis roulez le grillage en faisant adhérer les extrémités. Finissez de rouler la feuille.
Fixez la feuille dans cette position avec de l'adhésif et laissez la couverture cristalliser.
Coupez l'adhésif au cutter pour extraire le tube.
On peut stocker ces tubes en les empilant sur une plaque.

Lay a plastic sheet on a stratified board. Create a frame using a cone filled with tempered couverture. Fill the frame with wiring.
Stenghten the corners of the rectangle, to make joining together easier.
Fold the sheet over and roll the wiring from corner to corner, then roll the rest of the sheet.
Tape the sheet into this position, and leave the couverture to crystallise.
Cut the adhesive tape with a cutter to remove the tube.
You can store the tubes by piling them on top of each other.

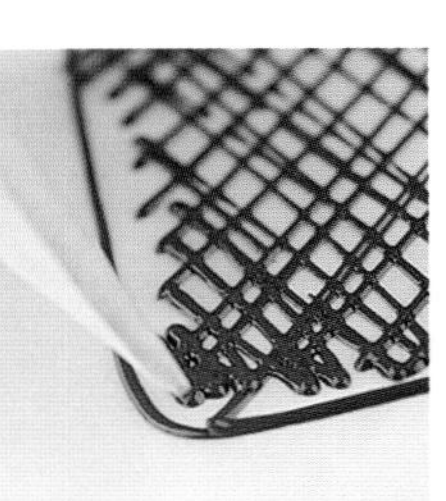

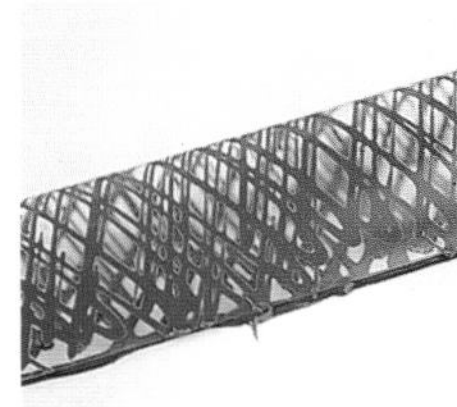

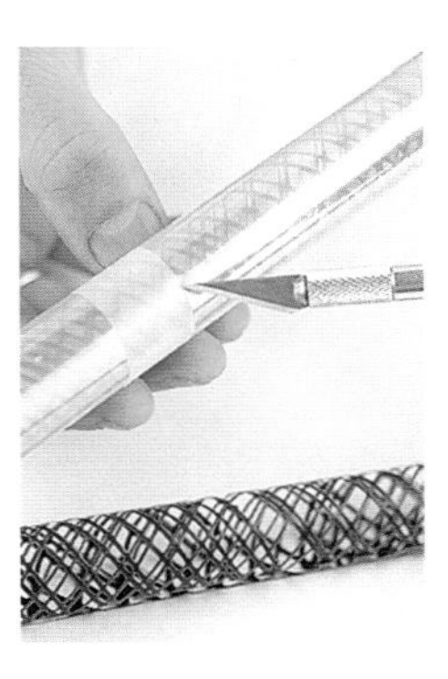

Le grillage

Wiring

Appliquez un film plastique sur une plaque humidifiée. Remplissez un cornet de couverture tempérée et faites un grillage chocolat sur le film plastique. Ce grillage s'obtient par un quadrillage irrégulier.
Retirez le film une fois le chocolat complètement cristallisé. Pour les stocker, vous pouvez empiler ces grillages.

Lay a plastic sheet on a moistened board. Fill a cone with tempered couverture and make a chocolate wiring pattern on the plastic sheet. This is done by randomly criss-crossing the chocolate.
Remove the sheet once the chocolate has completely crystallised. To store, you can pile the wirings up on top of each other.

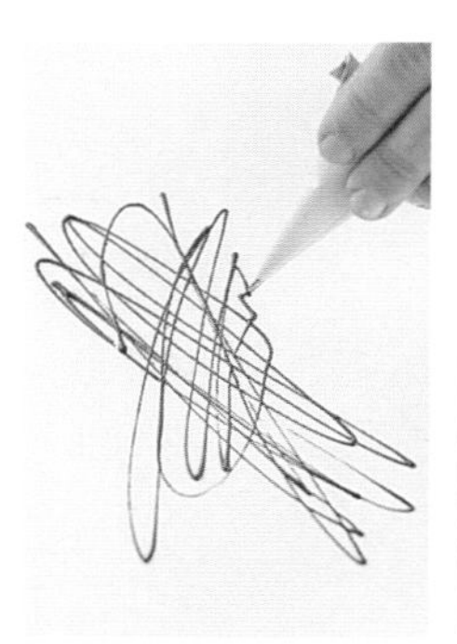

Les mikados et mikados roulés

Mikados and rolled mikados

Appliquez un film plastique sur une plaque humidifiée. Étalez de la couverture tempérée.
Passez sur cette couverture un triangle cranté. Laissez refroidir. Pour obtenir les mikados roulés, il est nécessaire de rouler le film.
Laissez cristalliser.
Retirez le film ou déroulez-le suivant le cas.

Lay a plastic sheet on a moistened board. Pour tempered couverture over it.
Pass a dragging metal scraper across the couverture. Leave to cool. To obtain the rolled mikados, you must roll the sheet.
Leave to crystallise. Remove the sheet and unroll if necessary.

Les cheveux et pistils

Hair and stems

Mettez tout d'abord des tubes inox en surgélation. Leur température doit descendre entre -18 et -20 °C. Appliquez un film plastique sur une plaque stratifiée. Disposez les tubes sur le film plastique à espace régulier. À l'aide d'un cornet, déposez sur ces tubes de la couverture tempérée en traits fins.
Dès que le chocolat cristallise, retirez-le des tubes avec l'index. Stockez les cheveux ainsi obtenus à 17 °C.
Il reste sur le film les pistils, que l'on peut utiliser pour la confection de fleurs ou la décoration d'entremets.

First of all put the stainless steel tubes in the freezer. Their temperature should go down to between -18 and -20°C (-0.4 and -4°F). Lay a plastic sheet on a stratified board. Place the tubes on the sheet at regular intervals. Using a cone, paint thin lines of tempered couverture across the tubes.
Once the chocolate has crystallised, remove the tubes with an index finger. Store the hair at 17°C (62°F).
There should be some stems left on the sheet, which can be used to make the flowers or cake decorations.

Les boucles

Laces

Appliquez un film plastique sur une plaque humidifiée.
Sur ce film, déposez de la couverture tempérée. Passez le triangle cranté dessus. Coupez au cutter à la longueur désirée. Reliez bord à bord. Laissez cristalliser.

Lay a plastic sheet on a moistened stratified board.
Place the tempered couverture on the sheet. Drag the metal scraper across. Cut the desired length with a cutter, and join them edge to edge. Leave to crystallise.

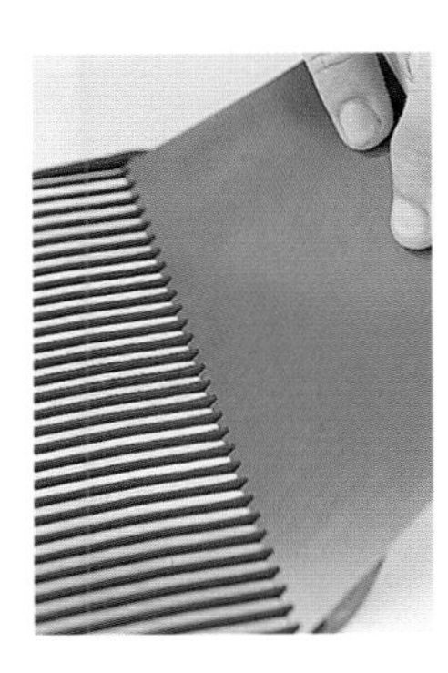
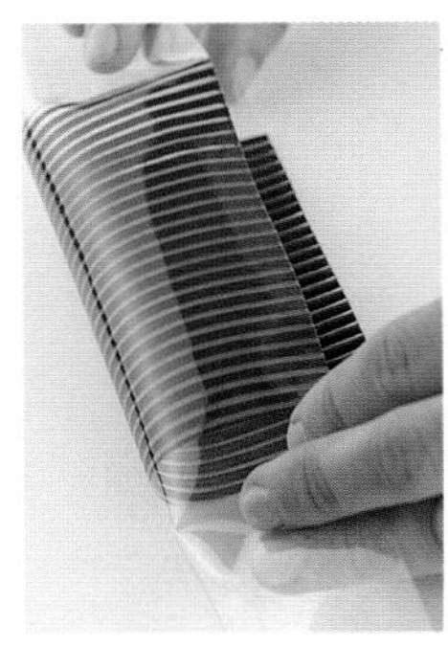
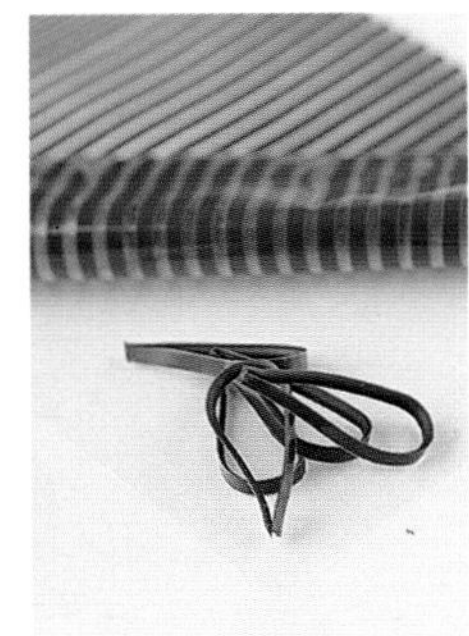

Les rubans

Ribbons

Assemblez des films plastiques ou sérigraphiés sur la longueur souhaitée. Appliquez le film obtenu sur une plaque stratifiée.
À l'aide d'une raclette, étalez sur le film sérigraphié une fine couche de chocolat tempéré. Disposez sans attendre le chocolat sur l'objet à décorer. Si vous désirez obtenir des boucles, coupez la couche de chocolat tempéré en bandes plus petites. Repliez-les bord à bord.
Lorsque le chocolat est cristallisé, vous pouvez enlever le film plastique.

Take a plastic or silkscreening sheet of the desired length. Lay it on a stratified board.
With a scraper, spread a thin layer of tempered chocolate over the silkscreening sheet. Place the chocolate straight away on the object to be decorated. If you want to make the bows, cut the tempered chocolate layer into smaller strips and join them edge to edge.
Once the chocolate has crystallised, you can remove the plastic sheet.

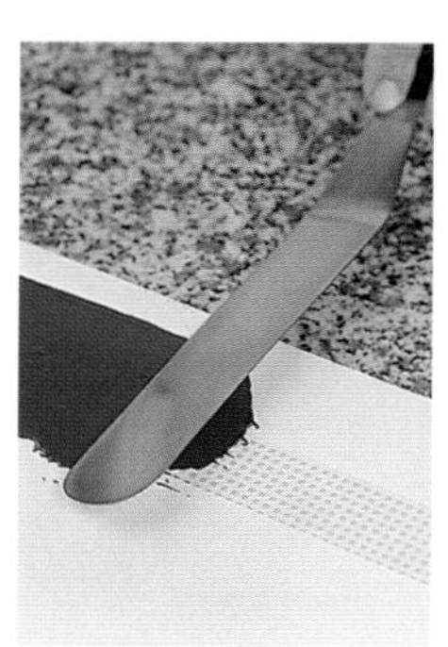

Les flammèches

Flakes

Appliquez un film sur une plaque humidifiée. Étalez sur le film plastique une abaisse de couverture tempérée.
Une fois la couverture cristallisée, détaillez-la au cutter en quatre parties puis redétaillez-la en arrondi dans chaque partie.
Roulez le film de biais et laissez cristalliser.
Enlevez le film en le déroulant.

Lay a plastic sheet on a moistened board. Spread a layer of tempered couverture onto the plastic sheet.
Once the couverture has crystallised, cut into four sections with a cutter, and then in each section cut more rounded strips.
Roll the sheet at an angle, and leave to crystallise.
Unroll the sheet and remove.

Le détaillage à plat

Flat cutting

Cette technique permet de réaliser différentes formes géométriques, par exemple les différents cotés d'un cube.
Appliquez un film plastique sur une plaque humidifiée.
Étalez une couche de chocolat entre deux règles. À l'aide d'une troisième règle, étalez le chocolat de manière à obtenir une épaisseur régulière.
Appliquez avant cristallisation une feuille de papier cuisson par un mouvement de gauche à droite pour chasser les bulles d'air. Une bulle d'air peut fragiliser votre pièce en chocolat.
Laissez l'abaisse commencer à cristalliser. Détaillez-la ensuite avec un cutter et dégager la forme souhaitée. Le cutter doit être maintenu à l'aplomb de l'abaisse. On peut se servir d'un gabarit si l'on désire une forme particulière.
Hachurez les chutes pour dégager plus facilement la forme.

This technique allows us to create different geometrical forms, for example the sides of a cube.
Lay a plastic sheet on a moistened board.
Spread a layer of chocolate in between two rulers. With a third ruler, spread the chocolate to create an even thickness.
Before crystallisation, slide a sheet of greaseproof paper over the chocolate from right to left, to get rid of air bubbles, which could potentially weaken the chocolate.
Leave the rolled chocolate to crystallise. Cut out and remove the desired form with a cutter, which should be kept perpendicular to the spread chocolate. You can use a template if you are looking for a particular shape.
Hatch the excess chocolate, to remove the shape more easily.

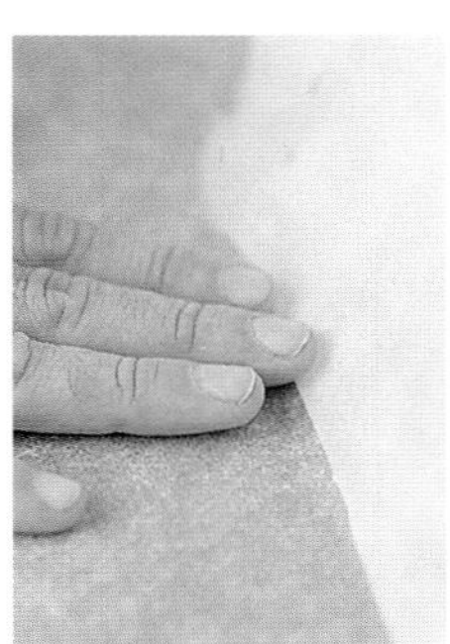

Les yeux

Eyes

Appliquez un film plastique sur une plaque humidifiée.
Tempérez les chocolats blanc, noir et au lait. Avec un cornet, déposez sur le film une goutte de chacun des chocolats en les superposant dans l'ordre suivant : blanc, lait et noir.
Laissez cristalliser. Décollez les yeux en soulevant le film plastique.

Lay a plastic sheet on a moistened board.
Temper the white, dark and milk chocolate. With a cone, pile up a drop of each chocolate in the following order: white, milk, dark.
Leave to crystallise. Remove the eyes by picking up the plastic sheet.

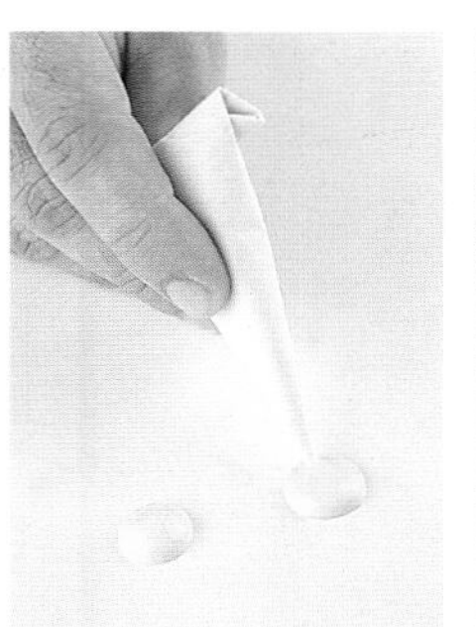
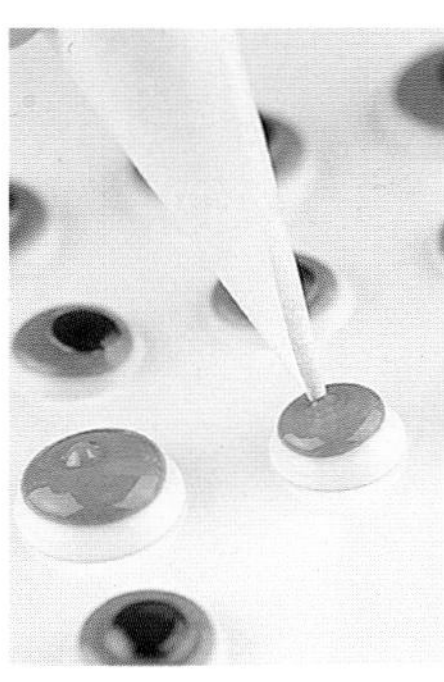
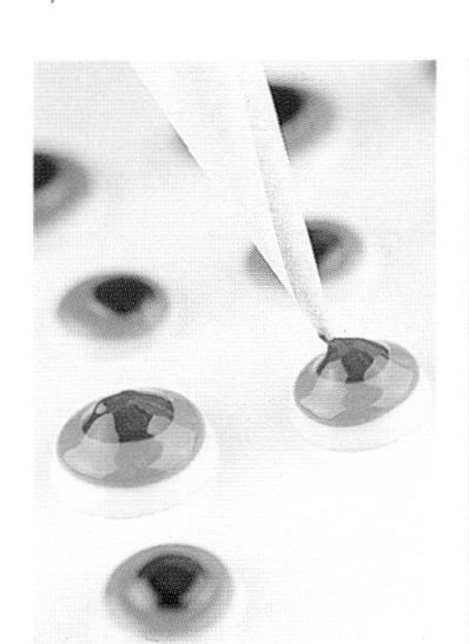
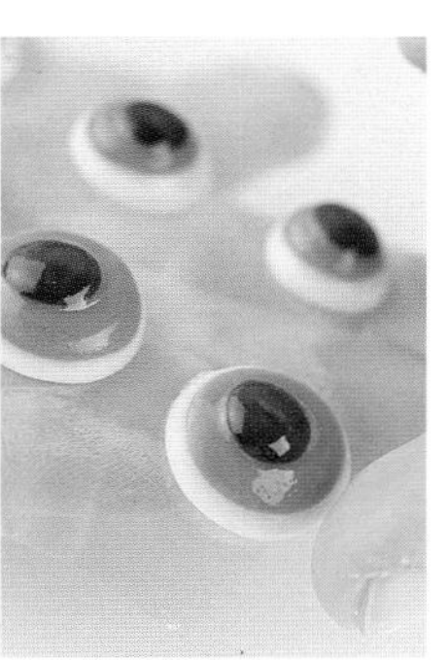

L'effet rayé bicolore

Two-coloured striped effect

Appliquez un film sur une plaque humidifiée.
Déposez du chocolat coloré saumon sur ce film. Passez sur ce chocolat un triangle cranté. Laissez cristalliser.
À l'aide d'une palette, étalez sur cette première couche du chocolat blanc. Laissez cristalliser à nouveau.
Détaillez ensuite si besoin est.

Lay a plastic sheet on a moistened board.
Pour salmon coloured chocolate onto the sheet. Drag the metal scraper across this chocolate. Leave to crystallise.
With a pallet knife, spread a layer of white chocolate on top of the first layer. Leave to crystallise.
Cut out if necessary.

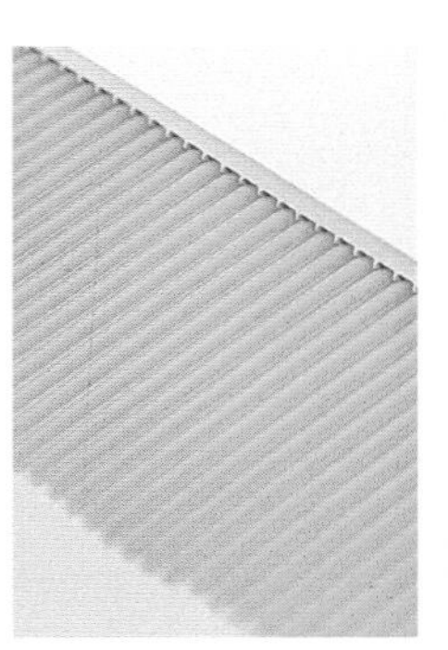
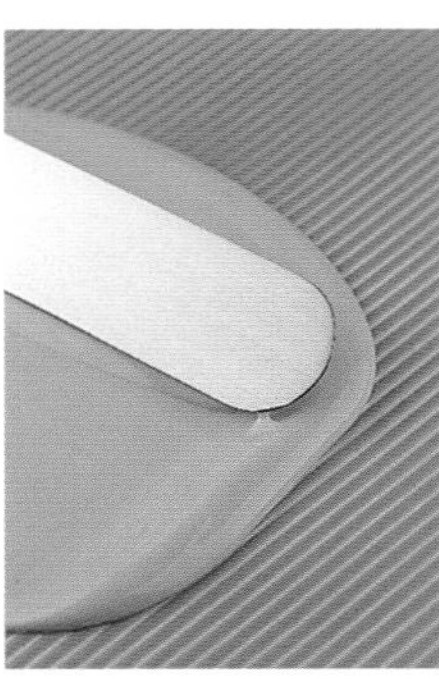
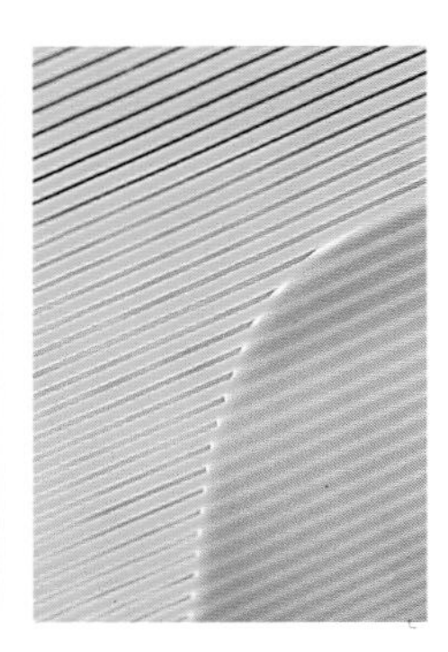

Les éclats marbrés

Marbled sheen

Versez dans un récipient, sans mélanger, du chocolat blanc, de la couverture lactée et de la couverture noire.
Appliquez un film plastique sur une plaque humidifiée. Coulez le mélange de couvertures dessus.
Recouvrez d'une deuxième feuille de plastique et étalez au rouleau.
Laissez le mélange cristalliser.
Enlevez les deux feuilles plastiques.

Pour white chocolate, milk couverture and dark couverture into a container without mixing them together.
Lay a plastic sheet on a moistened board. Pour the couverture mixture over it.
Cover with a second plastic sheet and spread with a rolling pin.
Leave the mixture to crystallise.
Remove the two plastic sheets.

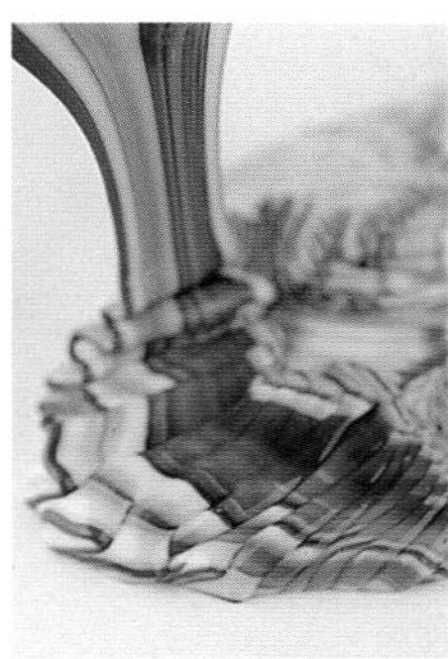

L'INCRUSTATION DE POUDRE

Powdering

Appliquez un film plastique sur une plaque humidifiée.
Saupoudrez de poudre de cacao le film plastique. Sur ce cacao, étalez avec une palette une fine couche de chocolat blanc tempéré à 29 °C.
Laissez cristalliser et retirez le film.

*Lay a plastic sheet on a moistened board.
Powder the plastic sheet with unrefined cocoa powder. With a pallet knife, spread a thin layer of white chocolate, tempered at 29 °C (84 °F), over the cocoa.
Leave to crystallise and remove the sheet.*

L'EFFET AJOURÉ

Openwork effect

Disposez du film bulle sur une plaque.
Étalez la couverture tempérée sur le papier bulle à l'aide d'une palette.
Laissez cristalliser et retirez le film.

*Lay a sheet of bubble wrap on a board.
With a pallet knife, spread the tempered couverture over the bubble wrap.
Leave to crystallise and remove the sheet.*

Le travail direct sur granit ou sur plaque à pâtisserie

Avec cette technique, la cristallisation du chocolat est plus rapide. La vitesse d'éxécution doit donc être plus importante.

Working straight on a table of granite or a baking tray

This technique allows a quicker crystallisation of the chocolate. You must therefore work quickly.

Les cigarettes

Cigarettes

Coulez directement sur le granit une couverture lactée tempérée.
Étalez-la à l'aide d'un triangle cranté.
Laissez cristalliser légèrement et appliquez dessus une couche de couverture noire à l'aide d'une palette.
Dès que la deuxième couche commence à cristalliser, roulez d'un geste vif et rapide les cigarettes à l'aide d'un triangle non cranté.

Pour the tempered milk couverture directly onto a table of granite.
Spread with a dragging metal scraper.
Leave to slightly crystallise and spread a layer of dark couverture over the top with a pallet knife.
As soon as the second layer begins to crystallise, roll the cigarettes quickly and confidently with a plain metal scraper.

Les copeaux

Shavings

Étalez sur le granit une fine couche de couverture tempérée.
Laissez cristalliser légèrement et détaillez-la au rouleau multidécoupe.
Roulez les copeaux à l'aide d'un couteau filet-de-sole au moment où le chocolat est suffisamment souple.

Pour a thin layer of tempered couverture onto a table of granite.
Leave to crystallise slightly and cut out with a cutting pin.
Cut the shavings with a fish knife when the chocolate is supple enough.

Les éventails et rosaces

Fans and rosettes

Chauffez une plaque à pâtisserie à 50 °C. Portez de la couverture de cacao 58 % à 50 °C.
Étalez avec un rouleau à peinture une fine couche de cette couverture sur la plaque à patisserie retournée. Le dernier passage du rouleau doit se faire dans le sens de la largeur de la plaque afin d'obtenir un éventail dentelé.
Refroidissez immédiatement au réfrigérateur à 5 °C.
Lorsque le chocolat est solidifié, sortez-le du réfrigérateur. Assouplissez cette fine couche de chocolat en la plaçant dans un endroit tiède (devant un four ou au-dessus d'un feu à gaz). Si le chocolat fond, il est nécessaire de recommencer l'opération depuis le début.
Plissez la couche de chocolat à l'aide d'un couteau filet-de-sole ou d'un triangle.
Vous pouvez alors lui donner la forme désirée.

Heat a baking tray to 50 °C (122 °F). Bring 58% cocoa couverture to 50 °C (122 °F). With a paintroller, spread a thin layer of the couverture over the upside down baking tray. The last roll should be done along the width of the tray, to create a laced effect. Refrigerate immediately at 5 °C (41 °F).
Once the chocolate has hardened, remove from the refrigerator. Allow to soften by putting it in a warm place (in front of an oven or above a gas fire). Be careful not to let the chocolate melt, as you will have to start the whole process again.
Fold the chocolate layer with a fish knife or metal scraper.
You can now create the desired shapes.

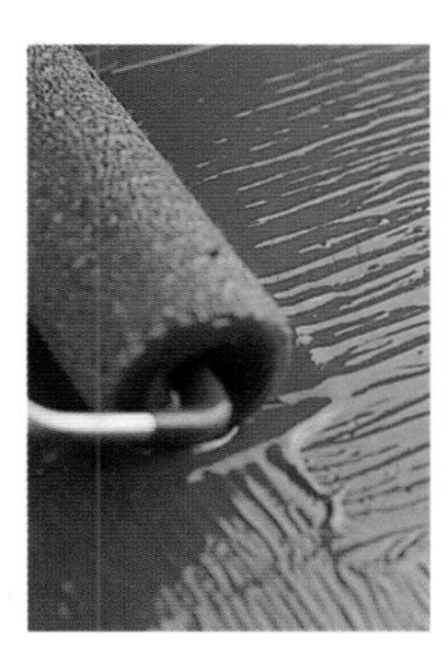
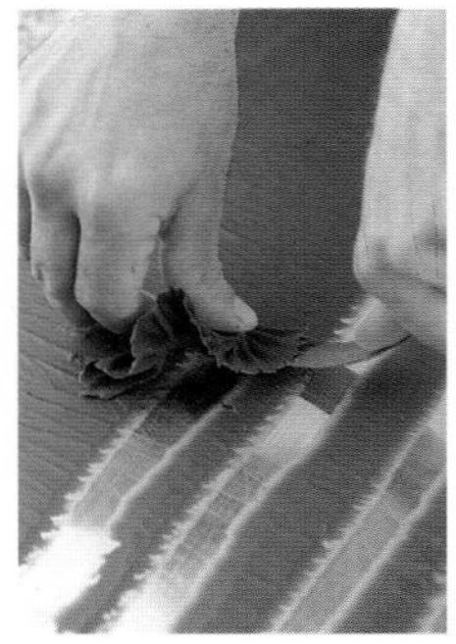

Les décors sur marbre congelé

Cette technique consiste à étaler du chocolat tempéré directement sur une plaque de marbre congelé. La cristallisation est très rapide mais partielle. On peut donc mettre le chocolat immédiatement en forme.

Decorations on a frozen marble slab

This technique consists in spreading tempered chocolate directly on a frozen marble slab. Crystallisation is very quick but not total. You can then shape the chocolate immediately.

Les rouleaux

Rolls

Déposez sur le marbre congelé de la couverture tempérée.
Passez cette couverture au triangle cranté. Coupez et retirez le talon de chocolat. Coupez en bande le chocolat restant.
Décollez l'ensemble avec la lame d'un couteau.
Détaillez et roulez.
Laissez cristalliser.

Put the tempered couverture on the frozen marble slab.
Drag the metal scraper across the couverture. Cut away the end of the chocolate and remove. Cut the remaining chocolate into strips.
Detach the whole thing with a knife blade.
Cut and roll.
Leave to crystallise.

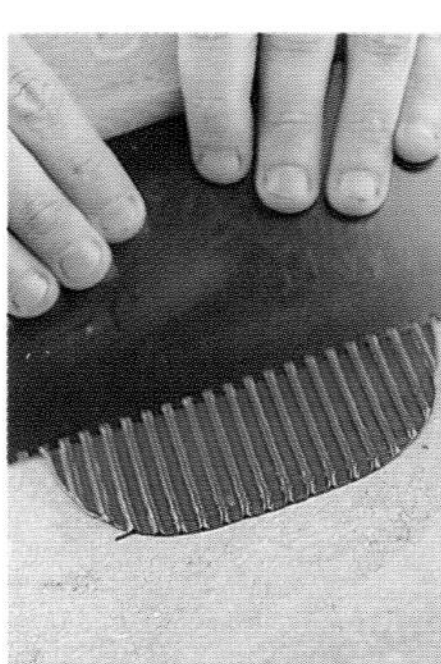

Le nid

Nest

Déposez au cornet du chocolat coloré jaune tempéré sur le marbre congelé.
Décollez avec la lame du couteau dans le sens de la longueur.
Mettez en forme immédiatement.

With a cone, trace tempered yellow coloured chocolate on the frozen marble slab.
Detach lengthways with a knife blade.
Shape immediately.

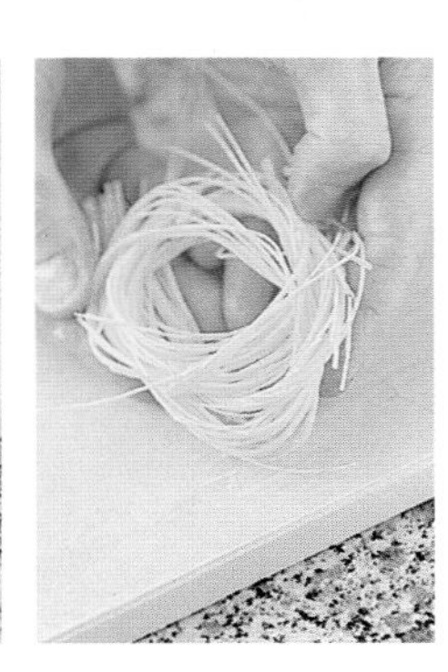

La paille

Straw

Pochez au cornet sur le marbre congelé du chocolat coloré orange tempéré.
Coupez à la longueur désirée.
Décollez avec la lame du couteau.

With a cone, trace tempered orange coloured chocolate on the frozen marble slab.
Cut to the desired length.
Detach with a knife blade.

Utilisation du rouleau
pour effet de plissé

Using the rolls to make pleats

Déposez de la couverture sur le marbre congelé.
Étalez la couverture au rouleau à peinture.
Décollez avec une lame et plissez la couverture à la main.
Laissez cristalliser.

Put the couverture on the frozen marble slab.
Spread the couverture with a paintroller.
Detach with a knife blade and fold the couverture by hand.
Leave to crystallise.

Les œufs à texture granuleuse

Grainy textured eggs

Mixez des pastilles de chocolat jusqu'à obtention de petites billes.
Chemisez avec cette pâte l'intérieur des moules en polycarbonate.
Consolidez avec une fine couche de chocolat blanc tempéré détendu de 20 % de beurre de cacao.
Laissez cristalliser et démoulez.

Place chocolate drops in a mixer until ground down into small chocolate balls.
Use this paste to chemiser the inside of the polycarbonate mould.
Add a thin layer of tempered white chocolate relaxed with 20% cocoa butter.
Leave to crystallise and turn out.

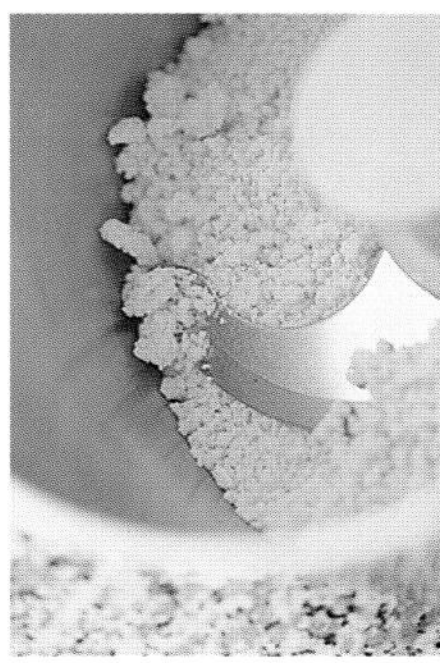

Les Algues

Seaweeds

Déposez une grille en métal sur une plaque. Remplissez un tube en métal de glaçons.
Préparez un mélange de chocolat blanc détendu avec 30 % de beurre de cacao. Chauffez ce mélange à 45 °C.
Coulez le mélange sur les glaçons.
Laissez fondre partiellement les glaçons et retournez le tube. Laissez fondre ensuite la totalité des glaçons.
Retirez alors le tube.

Place a metal grill on a tray. Fill a metal tube with ice cubes.
Prepare a mixture of relaxed white chocolate with 30% cocoa butter. Warm the mixture to 45°C (113°F).
Pour the mixture over the ice cubes.
Allow the ice cubes to partially melt, and turn the tube over. Now leave the ice cubes to melt completely.
Remove the tube.

Le ressort

Spring

Mixez des pastilles jusqu'à obtention d'une pâte homogène.
Prélevez de la pâte et allongez à l'aide d'une règle. Enroulez autour d'un axe en inox pour donner la forme d'un ressort. Laissez cristalliser avant utilisation.

Mix chocolate drops in a homogenous paste. Take some paste and spread it with a ruler. Roll around a stainless steel axis to shape it into a spring. Leave to crystallise before use.

Les tubes de petit calibre

Fine tubes

Roulez un film plastique. Fixez-le dans cette position avec de l'adhésif.
Garnissez par le bas le tube ainsi formé de couverture tempérée.
Laissez cette couverture cristalliser.
Enlevez le film.

Roll up a plastic sheet and fix with adhesive tape.
Pour tempered couverture into the tube from the base.
Leave to crystallise.
Remove the sheet.

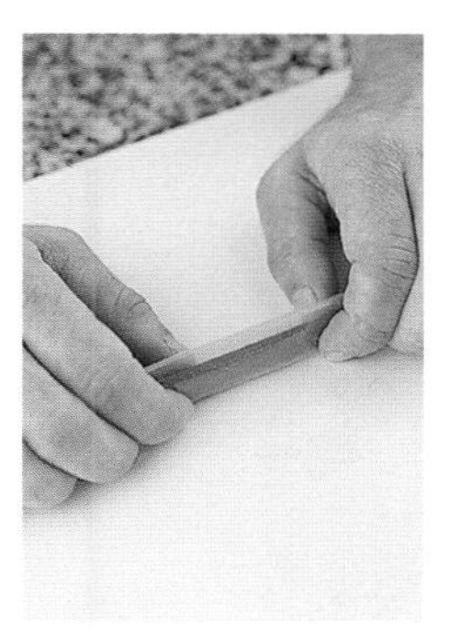

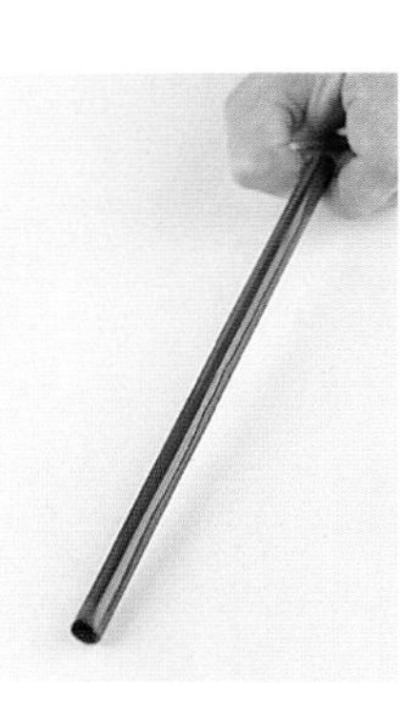

Les cônes

Cones

Réalisez un cône avec une feuille de rhodoïd.
Coulez de la couverture tempérée à l'intérieur.
Retournez sur une feuille de papier, ébarbez et coulez une deuxième couche si nécessaire.
Laissez cristalliser et démoulez.

Make a cone with a rhodoïd *sheet.*
Pour tempered chocolate into the cone.
Place on a sheet of paper, trim, and pour in a second layer if necessary.
Leave to crystallise and turn out.

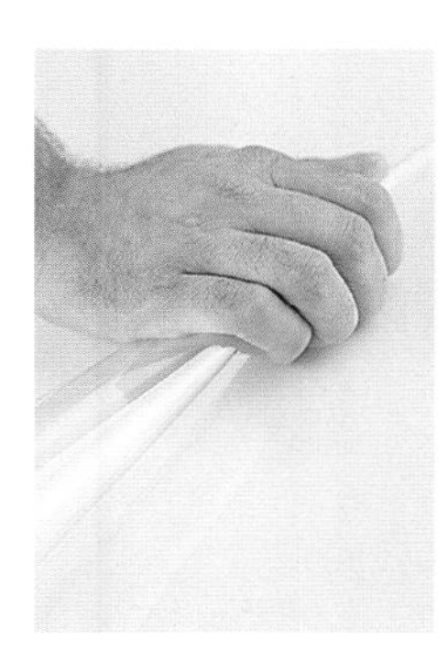

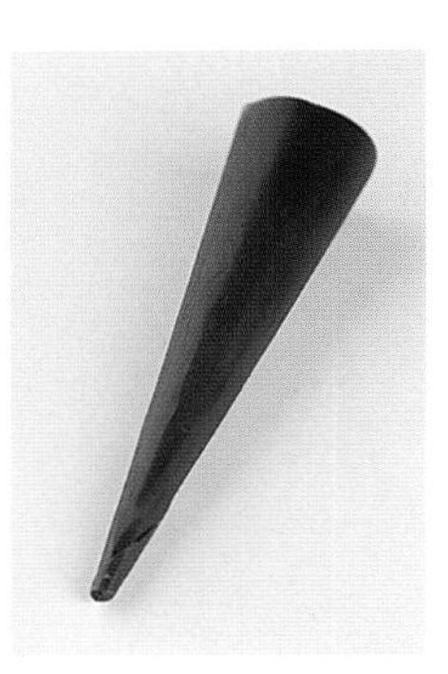

Les axes

Axes

Roulez une feuille de rhodoïd en forme de tube.
Maintenez-la dans cette position avec du ruban adhésif.
Fermez une des extrémités avec du film étirable.
Coulez de la couverture noire tempérée à l'intérieur du tube.
Laissez cristalliser puis démoulez.

Roll a rhodoïd *sheet into the shape of a tube.*
Attach it in this position with some adhesive tape.
Close one of the ends with cling film.
Pour tempered dark couverture into the tube.
Leave to crystallise and turn out.

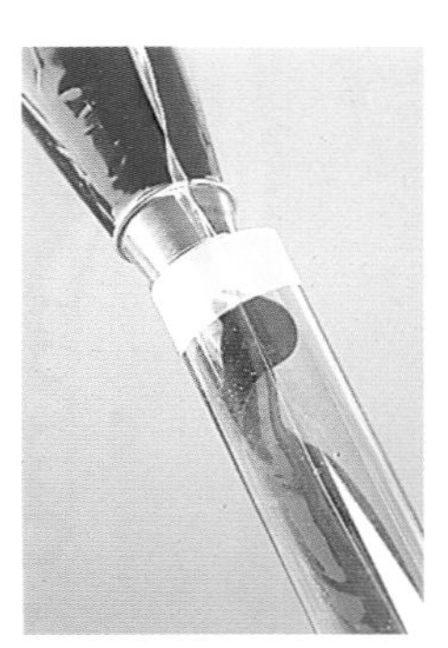

Élaboration d'un socle

Making a base

Coulez à l'intérieur d'un cercle à pâtisserie de la couverture noire tempérée.
Ôtez le cercle lorsque la couverture est cristallisée.
Ajoutez de la couverture tempérée au centre du socle et placez l'axe.
Pour un refroidissement plus rapide, fixez avec une bombe à froid (spécialement conçue pour refroidir le chocolat avec un gaz froid).

Pour some tempered dark couverture into a pastry ring.
Remove the ring once the couverture has crystallised.
Add tempered couverture in the middle and place the axis.
For a quicker cooling fix with a cold culinary spray (especially made with a cold gas in order to cool the chocolate).

L'APPAREIL À PISTOLET

MIXTURE FOR SPRAY GUN

Pour pulvériser du chocolat, il est nécessaire de le mélanger avec au moins 30 % de beurre de cacao afin de lui donner la fluidité nécessaire. Avec cette technique, on peut obtenir différents effets.

EFFET VELOURS
Sur un support congelé, on pulvérise un mélange à 50 °C. Celui-ci adhère directement au support. Si le mélange est pulvérisé à une température inférieure, le produit cloque en surface.
EFFET BRILLANT
On pulvérise sur des montages en chocolat pour obtenir une finition brillante. Pour une pulvérisation avant moulage, il est impératif de tempérer l'appareil à pistolet.

On peut aussi pulvériser du beurre de cacao coloré tempéré dans les moules avant d'y couler la couverture.

To spray the chocolate, it needs to be mixed with at least 30% cocoa butter to provide the required fluidity. With this technique, different effects can be produced.

VELOURS EFFECT
Spray the mixture at 50°C (122°F) onto a frozen base. This should stick directly to the base. If the mixture is sprayed at a lower temperature, the surface will bubble.
SHINY EFFECT
Spray a chocolate model for a shiny finish. To spray before moulding, you must temper the mixture. You can also spray coloured and tempered cocoa butter in the mould before adding the couverture.

LES MOULAGES

Mouldings

Il existe plusieurs techniques de moulage. Toutes ces techniques ont en commun un certain nombre de règles. Tout d'abord, le chocolat ne doit pas être moulé sur une trop faible épaisseur. Un bon tempérage de la couverture ou du chocolat avant son moulage est essentiel. La phase de refroidissement est aussi très importante : il convient donc de la surveiller de près. Tous ces impératifs respectés, la cristallisation sera de bonne qualité et par là, le brillant et le croquant du chocolat optimisés.
Les types de moulage les plus utilisés sont les moulages classiques, les moulages avec pulvérisation préalable de couverture et les moulages ajourés.

There are several different techniques for moulding, all of which have a certain number of processes in common. First of all, the chocolate should not be moulded when too thin. A good tempering of the couverture or the chocolate before the moulding is essential. The cooling stage is also very important – it is thus advisable to watch this closely. If all these rules are respected, crystallisation will be of good quality, and both shiny and crunchy.
The most frequently used are classic mouldings, pre-sprayed couverture mouldings, and perforated mouldings.

Le moulage classique

Classic moulding

Il convient tout d'abord d'appliquer une fine couche de couverture tempérée sur le fond du moule à l'aide d'un pinceau. Il faut toujours vérifier que le pinceau soit bien sec et que la température des moules ne soit pas trop basse. Dès que la couverture commence à durcir, il est nécessaire d'enlever l'excédent de chocolat en raclant les bords du moule avec un triangle.
Vous pouvez alors couler à la louche le chocolat tempéré dans le moule.
Afin de chasser les bulles d'air, tapez sur le moule avec un triangle ou déposez-le sur une table vibrante. Pour répartir correctement le chocolat et en évacuer l'excédent, vous devez retourner le moule et donner dessus quelques coups brefs à l'aide du triangle. Cette opération est importante car elle assure une répartition satisfaisante du chocolat dans l'ensemble du moule.
Raclez ensuite le moule retourné. Déposez-le sur une feuille de papier et raclez à nouveau pour que l'excédent de chocolat se décolle de la feuille. Si nécessaire, recommencez l'opération. Vous pouvez ensuite laissez cristalliser à 17 °C. Grâce à la rétraction, la pièce peut être extraite sans difficulté.

First of all, a thin layer of tempered couverture is spread along the bottom of the mould with a brush. Make sure that the brush is totally dry, and that the mould's temperature is not too low. As soon as the couverture begins to set, the excess chocolate is removed by scraping the sides of the mould with a metal scraper.
You can then pour the tempered chocolate into the mould with a ladle.

To get rid of the air bubbles, tap the mould with a metal scraper or place it on a vibrating table. To evenly distribute the chocolate and to remove all the excess, the mould should be turned over, and given a few taps on the base with the metal scraper. This process is important because it allows the chocolate to be properly distributed in the mould.
Next, scrape the mould that has been turned back over. Place on a sheet of paper. Remove chocolate mould from paper once set and scrape the excess of chocolate from the mould and if necessary, carry out the same process again. You can then leave the moulded chocolate to crystallise at 17°C (62.5°F) until it has contracted. The chocolate can then be turned out of the mould without difficulty.

Le moulage
avec pulvérisation préalable de couverture

Pre-sprayed couverture moulding

Pour ce genre de moulage, seule la technique de préparation diffère du moulage précédent. On commence tout d'abord par pulvériser au pistolet une couche de couverture extra-fluide de type *Barry Glace Fondant*. Vous pouvez confectionner cette couverture en ajoutant un minimum de 30 % de beurre de cacao au chocolat, afin de lui donner la fluidité nécessaire. Dans tous les cas, la couverture a dû subir un tempérage préalable.
Ce procédé de moulage permet d'effectuer des dégradés et donne un brillant de grande qualité au chocolat. Si l'on veut obtenir des effets colorés au chocolat, vous devez incorporer des colorants liposolubles en tamisant la poudre colorante directement sur le beurre de cacao avant de le tabler.
Les étapes du moulage sont ensuite identiques au moulage classique.
On doit en premier lieu couler le chocolat tempéré dans le moule en utilisant une louche. Il faut ensuite chasser les bulles d'air, retourner le moule et répartir correctement le chocolat en frappant légèrement sur le moule à l'aide d'un triangle. Enfin, on racle le moule retourné et on le dépose sur une feuille de papier. L'excédent de chocolat enlevé, on laisse cristalliser et on démoule.

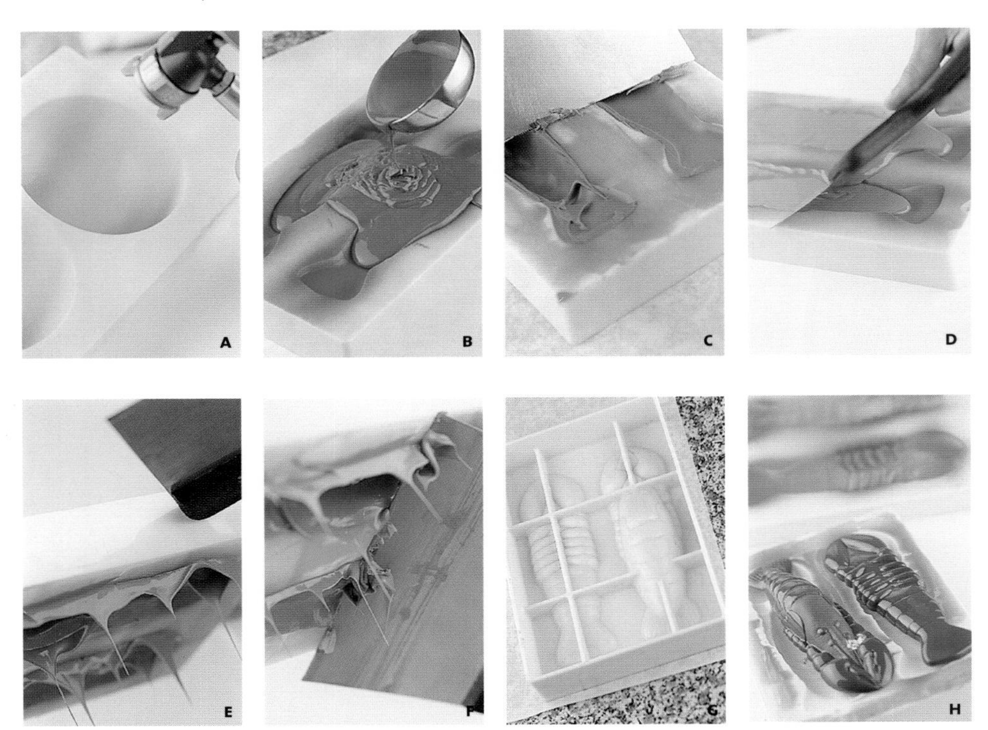

Moulage avec pulvérisation préalable de couverture
Pre-sprayed couverture moulding

The only difference between this type of moulding and the previous one is the preparation. First of all, with a spray gun, spray a layer of extra-fluid couverture (Barry Glace Fondant). You can make this couverture yourself by adding a minimum of 30% cocoa butter to standard couverture, in order to give it the required viscosity. This couverture should have gone through a preliminary tempering process.
This procedure helps to give the moulding a shaded effect, and achieves a great gloss.
If you want to create a coloured effect, you must incorporate liposoluble colouring by sifting coloured powder directly onto the cocoa butter before tempering.

Coloration du beurre de cacao *Colouring cocoa butter*

The next stages are identical to those of the classic moulding. Firstly, pour the tempered chocolate into the mould with a ladle. Then remove any air bubbles, turn the mould over and remove the excess of chocolate by tapping the mould with a metal scraper. Finally, scrape the top of the turned over mould and place on a sheet of paper. Once the excess is removed, allow to crystallise and turn out.

Le moulage ajouré

Openwork mould

On effectue ce moulage avec du chocolat de laboratoire, également appelé chocolat de ménage. La particularité de ce chocolat est de contenir moins de 31 % de beurre de cacao. Sa forte densité rend son utilisation possible en pochage et permet de donner au moulage un effet ajouré, particulièrement utilisé pour la confection d'œufs de Pâques ou de bonbonnière.
Pour sa réalisation, on doit tout d'abord se munir d'une poche et d'une douille de 6 mm.
On remplit ensuite cette poche de chocolat tempéré. On poche alors le chocolat du bord vers l'intérieur du moule, en ayant soin de laisser des jours de taille variable en fonction du décor désiré. On racle les bords du moule lorsque le chocolat commence à cristalliser. Quand la cristallisation du chocolat est terminée, sa rétraction permet un démoulage aisé.

This mould is carried out with laboratory chocolate, also called cooking chocolate. The difference with this chocolate is that it contains less than 31% cocoa butter. Its strong density makes it possible to use in piping, and gives the moulding an openwork effect, particularly popular for Easter eggs and sweets.
To achieve this, take a piping bag and a 6 mm (0.23 in) nozzle. Fill the bag with tempered chocolate. The chocolate is then piped from the outside to the inside of the mould, making sure you make different sized openworks depending on the decoration you are looking for. Scrape the sides of the mould when the chocolate begins to crystallise. Once the crystallisation has finished, the chocolate should shrink and make it easier to turn out.

Moulage ajouré *Openwork mould*

La feuille d'or

Gold leaf

Ce moulage permet d'obtenir un brillant plus important. Pour le réussir, vous devez pulvériser de la couverture extra-fluide tempérée dans un moule. Avant qu'elle ne cristallise, appliquez une feuille d'or alimentaire. Coulez ensuite le chocolat dans le moule. Laissez cristalliser puis démoulez.

This moulding helps increasing the gloss. You should spray extra-fluid tempered couverture in a mould. Place a gold leaf before it crystallises. Then, pour the chocolate in the mould. Leave to crystallise.

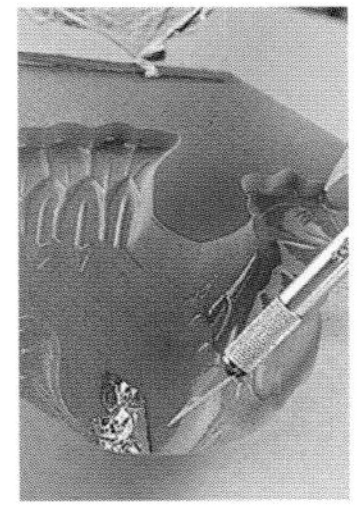
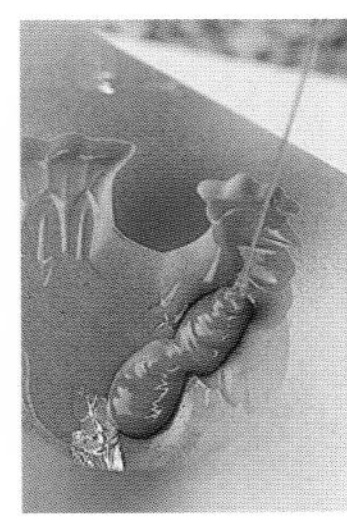
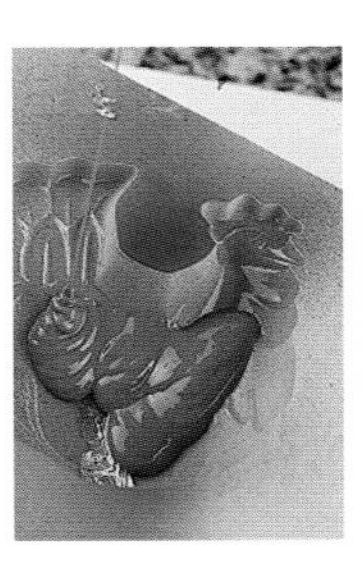
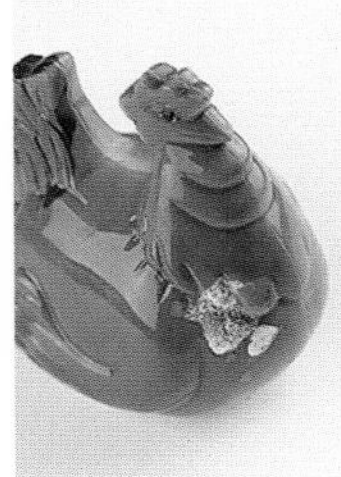

Application de la feuille d'or *Laying the gold leaf*

Variation sur le moulage

Variation on the moulding

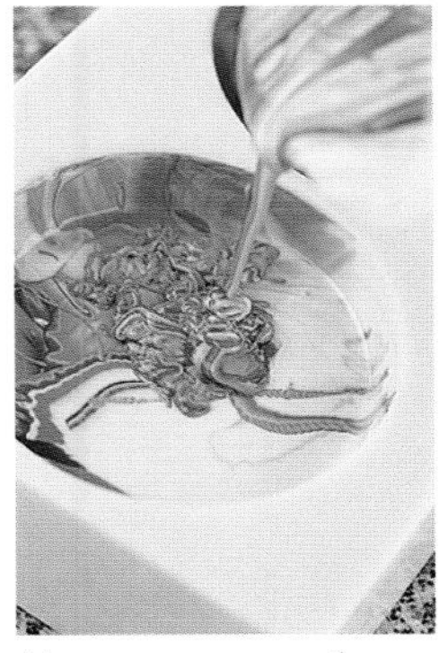

Moulage marbré
Marbled mould

Videz l'excédent de couverture dans le chocolat le plus foncé.
Pour the excess couverture in the darker chocolate.

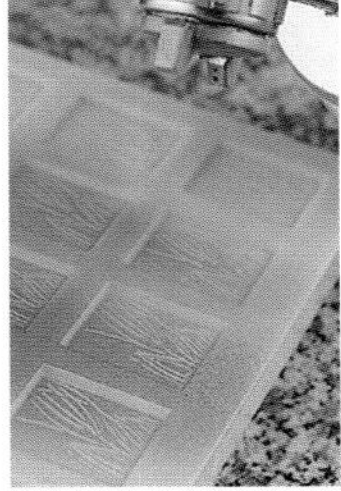

Pulvérisation de l'appareil chocolat extra-fluide tempéré à 31 °C.
Spraying the extra-fluid tempered chocolate (31 °C, 88 °F) mixture.

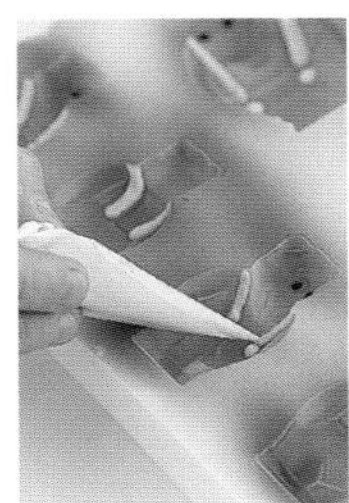

Il est très important de prendre un cornet rempli de couverture pour réaliser les différents détails du moule.
It is extremely important to use a bag filled with couverture to make the various details of the mould.

Déposez la feuille d'or dans le moule juste avant de remplir de chocolat.
Place the gold leaf in the mould just before pouring the chocolate.

Moulages obtenus grâce à l'appareil à pistolet tempéré à 31 °C.
Mouldings obtained with sprayed tempered mixture (31 °C, 88 °F).

Superposition de différentes couvertures avant de mouler.
Superposition of different couvertures before moulding.

L'ENVERS DU DÉCOR

BEHIND THE SCENES

LES COCCINELLES

LES COCCINELLES

THE LADYBIRDS

Les coccinelles THE LADYBIRDS

COMPOSITION - *TAILLE DE LA PIÈCE : 40 X 40 CM - 16 X 16 IN*
- Le socle *The base*
- L'axe central *The central axis*
- La fleur *The flower*
- Les coccinelles *The ladybirds*

USTENSILES
- Un cercle à pâtisserie *A pastry ring*
- Un moule thermoformé (fleur) *A flower-shaped thermoformed mould*
- Trois moules demi-sphère en polycarbonate de 12,5 ; 7 et 3 cm *Three half-sphere polycarbonate moulds of 5; 2.8 and 1.2 in*

INGRÉDIENTS
- Couverture noire 55 % de cacao EXCELLENCE *Dark couverture 55% cocoa*
- Chocolat blanc *BLANC SATIN* *White chocolate*
- Pâte de chocolat à modeler rouge *BARRY DÉCOR* *Red modelling chocolate paste*
- Couverture extra-fluide *BARRY GLACE FONDANT* *Extra-fluid couverture*
- Chocolat coloré jaune *DÉCOR COLORÉ JAUNE* *Yellow coloured chocolate*
- Colorant liposoluble rouge *Red liposoluble colouring*

Le socle : coulez de la couverture noire dans le cercle à pâtisserie. Enlevez le cercle lorsque le chocolat est cristallisé. Réalisez un axe* de 3,5 cm de diamètre.
La fleur : [A, B, C] coulez le chocolat blanc dans le moule à fleur. Laissez cristalliser et démoulez. Moulez individuellement quelques pétales supplémentaires et ajoutez-les en les collant à la fleur afin de lui donner plus de volume. Pour obtenir un effet de dégradé, pulvérisez les pétales au pistolet* avec de la couverture extra-fluide. Moulez du chocolat coloré jaune dans la demi-sphère de 12,5 cm de diamètre. Déposez le dôme obtenu au centre de la fleur.
Les coccinelles : [D, E, F, G, H] moulez séparément du chocolat coloré jaune et du chocolat blanc coloré en rouge en demi-sphères de 7 cm de diamètre.
Pour les ailes, recoupez les demi-sphères rouges en deux, puis coupez le tiers supérieur de chaque partie.
Collez les ailes sur les demi-sphères jaunes en insérant une pastille entre les deux éléments.
Déposez quelques pastilles sur les ailes.
Pour les pattes, confectionnez des boules bicolores en assemblant des demi-sphères de 3 cm en chocolat coloré jaune et en couverture noire. Fixez-les sous le corps des coccinelles. Détaillez à plat* des fines bandes de couverture noire de 0,5 cm d'épaisseur et de 5 cm de long. Fixez-les sur la tête de l'insecte afin de figurer les antennes. Confectionnez le nez avec une petite boule de pâte de chocolat à modeler rouge. Pour finir, ajoutez les yeux*.
The base : *pour the dark couverture into the pastry ring. Remove the ring once the chocolate has crystallised. Make an axis* of 3,5 cm (1.4 in) in diameter.*
The flower : [A, B, C] *pour the white chocolate into the flower mould. Leave to crystallise and turn out. Individually mould a few extra petals, and stick them to the flower in order to give it more volume. For a shaded effect, use a spray gun* to spray the petals with red modelling chocolate paste. Mould yellow coloured chocolate in the 12,5 cm (5 in) half-sphere. Place the resulting dome in the centre of the flower.*
The ladybirds : [D, E, F, G, H] *separately mould some yellow coloured chocolate and some red coloured white chocolate in half-spheres of 7 cm (2.8 in) in diameter.*
For the wings, cut the red half-spheres in two, and then cut off the upper third of each piece. Stick the wings onto the yellow half-spheres by inserting a chocolate drop in between the two. Place a few chocolate drops on the wings.
For the feet, make some two-coloured balls by putting 3 cm (1.2 in) half-spheres of yellow coloured chocolate and dark couverture together. Attach them to the underneath of the ladybird's body. Flat cut some thin strips of dark couverture, 0,5 cm (0.2 in) thick and 5 cm (2 in) long. Attach them to the ladybird's head to make the antennae. Make the nose with a small ball of red modelling chocolate paste. To finish, add the eyes*.*

NOTES
Les astérisques renvoient aux techniques de base, chapitre précédent.
The asterisks call the basic techniques, preceding chapter.

Assemblage

Montez l'axe central sur le socle. Disposez ensuite la fleur légèrement en biais sur cet axe. Finissez en ajoutant les coccinelles sur le dessus de la pièce.

Mount the central axis onto the base. Then place the flower, slightly slanted, on the axis. Finish by adding the ladybirds to the top of the piece.

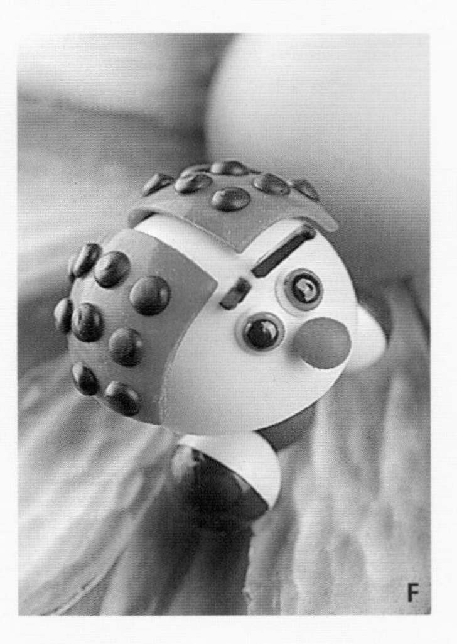

Nos conseils OUR ADVICE

Vous pouvez consolider l'axe central avec un deuxième axe plus court. La solidité de la pièce n'en sera que meilleure.
Pour faciliter l'assemblage de la coccinelle, il est conseillé de coller la demi-sphère jaune sur un axe en chocolat.

You can strengthen the central axis with another shorter axis. The strength of the piece can only be better.
To make it easier to put the ladybird together, it is recommended that you stick the yellow half-sphere onto a chocolate axis.

LES LUTINS

THE GOBELINS

Les lutins THE GOBELINS

COMPOSITION - *TAILLE DE LA PIÈCE : 100 X 40 CM - 40 X 16 IN*
- Le socle *The base*
- Les axes *The axes*
- Les champignons *The mushrooms*
- Les lutins *The gobelins*
- Les copeaux* *The shavings**

USTENSILES
- Un cercle à pâtisserie *A pastry ring*
- Un moule thermoformé (champignons)
A thermoformed mould (mushrooms)
- Deux moules à œuf en polycarbonate de 12,5 et 5,5 cm
Two polycarbonate egg-shaped moulds of 5 and 2.2 in
- Un moule demi-sphère en polycarbonate de 7 cm
A 2,8 in half-sphere polycarbonate mould
- Une plaqu stratifiée *A stratified board*
- Un film plastique *A plastic sheet*
- Un peigne à encoller à petites dents *A small toothed dragging comb*
- Une paire de mini-ciseaux *A pair of mini-scissors*

INGRÉDIENTS
- Couverture noire 58 % de cacao FAVORITES MI-AMÈRE
Dark couverture 58 % of cacao
- Couverture extra-fluide BARRY GLACE FONDANT
Extra-fluid couverture
- Couverture lactée 36 % de cacao TERRE D'IVOIRE
Milk couverture 36 % of cacao
- Chocolat blanc *White chocolate* BLANC SATIN
- Pâte de chocolat à modeler ivoire BARRY DÉCOR IVOIRE
Ivory modelling chocolate paste
- Pâte de chocolat à modeler rouge BARRY DÉCOR ROUGE
Red modelling chocolate paste

Le socle : coulez à l'intérieur d'un cercle à pâtisserie de la couverture noire. Ôtez le cercle lorsque le chocolat est cristallisé. Réalisez les axes*. Vous devez prévoir autant d'axes que de champignons.
Les champignons : [A, B] utilisez le moule thermoformé. Pulvérisez de la couverture extra-fluide tempérée. Moulez avec de la couverture lactée. Pour consolider ce moulage, vous devez le semeller en le posant sur une couche de couverture lactée de 1 cm d'épaisseur étalée sur une plaque stratifiée recouverte d'un film plastique. Ensuite, détaillez les contours avant que le chocolat ne durcisse.
Les lutins : [D, E, F, G] réalisez les corps des lutins en moulant du chocolat blanc dans le moule de 12,5 cm. Pour les jambes, les bras et les chaussures, moulez du chocolat blanc dans le moule de 5,5 cm. Moulez la tête avec le même chocolat dans le moule demi-sphère de 7 cm.
Pour habiller les lutins, peignez le chocolat blanc tempéré sur un marbre congelé. Détaillez-le en pointes pour les épaules et le ventre, et en bandes de 5 cm environ pour les membres. Habillez-en les lutins. Modelez de la pâte de chocolat ivoire en forme de boule légèrement aplatie et incisez-la à l'aide de mini-ciseaux. Ajustez le résultat obtenu à l'extrémité des bras des lutins pour les mains. Déposez un cône* sur la tête de chaque personnage ; collez également les yeux*, et le nez avec de la pâte de chocolat à modeler rouge.
The base: *pour the dark couverture into the pastry ring. Remove the ring once the chocolate has crystallised. Make the axes*. You should make sure that there are as many axes as there are mushrooms.*
The mushrooms: [A, B] *use the thermoformed mould. Spray with tempered extra-fluid couverture. Mould with milk couverture. To strengthen the moulding you should* semeller *it by placing it on a layer of 1 cm (0.4 in) thick chocolate, spread over a stratified board and covered with a plastic sheet. Next, trim the edges before the chocolate hardens.*
The gobelins: [D, E, F, G] *make the gobelins' bodies by moulding white chocolate in the 12,5 cm (5 in) mould. For the legs, arms and shoes, mould white chocolate in the 5,5 cm (2.2 in) mould. Make the head with the same chocolate in the 7 cm (2.8 in) half-sphere mould.*

NOTES
Les astérisques renvoient aux techniques de base, chapitre précédent.
The asterisks call the basic techniques, preceding chapter.

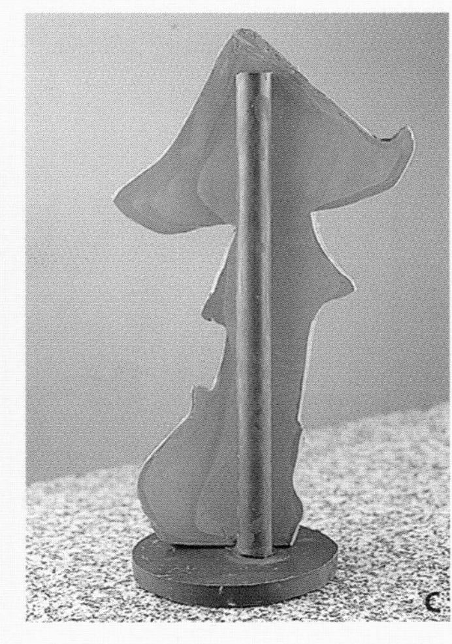

Nos conseils

OUR ADVICE

Un petit axe peut être collé derrière chaque lutin pour le consolider.

Pour travailler plus confortablement les moulages qui composent le personnage, ceux-ci doivent être de 0,4 cm d'épaisseur minimum.

D'un point de vue général, les collages invisibles doivent être faits avec de la couverture noire (exemples : axes des champignons et consolidation des lutins).

A small axis can be stuck behind each gobelin to strengthen it. To work comfortably with the mouldings that make up the character, they should be at least 0,4 cm (0.15 in) thick. From a general point of view, the invisible attachments should be made with dark couverture (for example: the mushroom axes and strengthening of the gobelins).

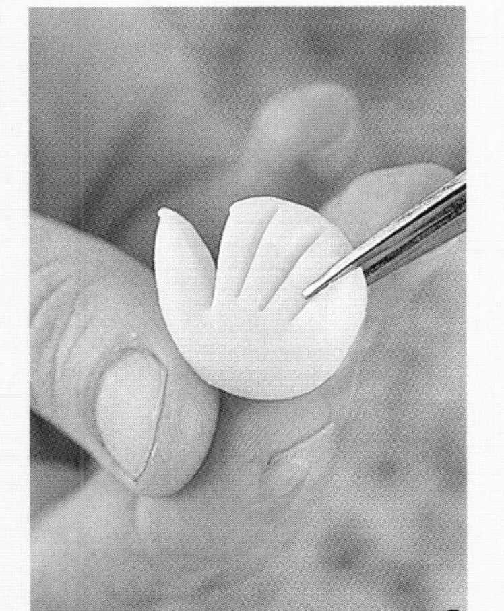

To dress the gobelins, comb the tempered white chocolate on a frozen marble slab. Cut into triangles for the shoulders and stomach, and into 5 cm (2 in) strips for the arms and legs. Dress the gobelins. Mould some ivory modelling chocolate paste into a slightly flattened ball and cut with the mini-scissors. Fit the resulting shapes to the end of the gobelins' arms to make the hands. Place a cone on the head of each character, and stick on the eyes* and the nose with the red modelling chocolate paste.*

Assemblage

Montez chaque axe sur le socle. Disposez les champignons contre leur axe respectif. **[C]** Collez les lutins sur les chapeaux des champignons. Enfin, habillez la base de la pièce de quelques copeaux*.

Mount each axis onto the base. Place each mushroom against its respective base. [C] Stick the gobelins onto the mushroom heads. Finally, decorate the bottom of the piece with a few shavings.*

L'AQUARIUM

L'AQUARIUM

THE AQUARIUM

L'aquarium THE AQUARIUM

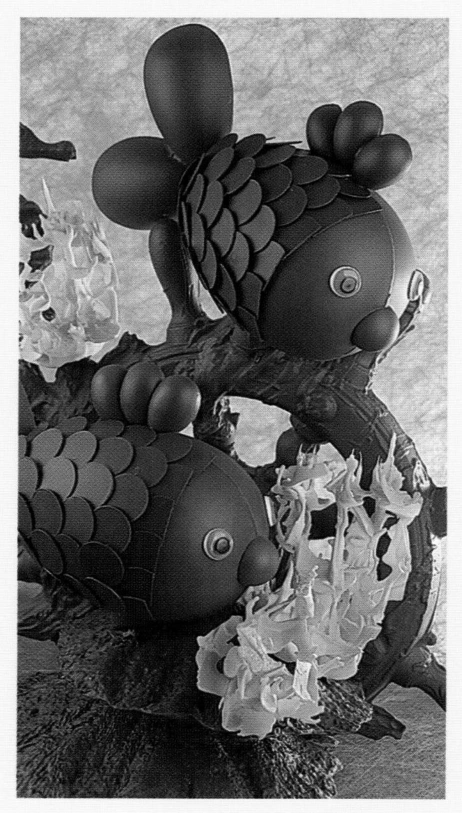

COMPOSITION - *TAILLE DE LA PIÈCE : 60 X 70 CM - 24 X 28 IN*
- Le socle *The base*
- Les algues *The seaweed*
- L'hippocampe *The seahorse*
- La barre de navigation *The tiller*
- Les poissons *The fish*

USTENSILES
- Deux moules thermoformés coniques
Two conical thermoformed moulds
- Deux moules thermoformés (hippocampe et barre de navigation) *Two thermoformed moulds (seahorse and tiller)*
- Trois moules à œuf en polycarbonate de 20 ; 12,5 et 5,5 cm
Three polycarbonate egg-shaped moulds of 8; 5 and 2.2 in
- Une plaque à pâtisserie *A baking tray*
- Un moule demi-sphère en polycarbonate de 4 cm
A 1.6 in half-sphere polycarbonate mould
- Un film plastique *A plastic sheet*
- Un emporte-pièce de 3,5 cm *A 1.4 in pastry cutter*

INGRÉDIENTS
- Couverture noire 58 % de cacao FAVORITES MI-AMÈRE
Dark couverture 58% cocoa
- Chocolat blanc BLANC SATIN *White chocolate*
- Couverture lactée 36 % de cacao AMBRE JAVA
Milk couverture 36 % cocoa
- Couverture extra-fluide BARRY GLACE FONDANT
Extra-fluid couverture
- Beurre de cacao *Cocoa butter*

Le socle : coulez de la couverture noire dans les moules thermoformés coniques. Laissez cristalliser.
Les algues* : [A] confectionnez-les en chocolat blanc la veille de la réalisation de la pièce.
L'hippocampe : moulez de la couverture noire dans le moule thermoformé.
La barre de navigation : utilisez également un moule thermoformé.
Les poissons : [B, C, D, E, F, G] moulez un œuf de 20 cm en couverture lactée pour réaliser le corps des poissons, et trois demi-œufs de 5,5 cm en couverture noire.
Usez la tranche des demi-œufs en les frottant sur une plaque à pâtisserie chaude. Puis assemblez-les en arc de cercle pour obtenir la nageoire dorsale. Si nécessaire, consolidez avec un cornet garni de couverture tempérée.
Pour la queue, moulez deux demi-œufs de 12,5 cm de diamètre avec de la couverture lactée. Assemblez-les de la même manière que la nageoire dorsale.
Usez l'extrémité que vous fixerez sur le corps du poisson avec un emporte-pièce chaud.
Étalez de la couverture noire sur un film plastique et détaillez à plat* les écailles avec un emporte pièce rond de 3,5 cm. Faites-les adhérer sur le corps du poisson avec de la couverture tempérée. Pulvérisez avec de la couverture extra-fluide tempérée.
Réalisez ensuite les yeux*. Pour le nez, moulez une demi-sphère de 4 cm de diamètre fixez-la sur la tête du poisson.
The base: *mould some dark couverture in the conical thermoformed moulds. Leave to crystallise.*
The seaweed*: [A] *make this in white chocolate the day before the actual piece.*
The seahorse: *mould the dark couverture in the thermoformed mould.*
The tiller: *also use a thermoformed mould.*
The fish: [B, C, D, E, F, G] *mould a 20 cm (8 in) egg in milk couverture to make the fishes' bodies, and three half-eggs of 5,5 cm (2.2 in), in dark couverture.*
Wear down the sliced side of the half-eggs by rubbing them against a hot baking tray. Put them together in a rainbow to form the fin. If necessary, strengthen with a cone filled with in tempered couverture. For the tail, mould two half-eggs of 12,5 cm (5 in) in diameter with milk couverture. Put them together in the same way as for the fin.
With a hot pastry cutter, rub the end that will then be fixed onto the fishes' body.

NOTES
Les astérisques renvoient aux techniques de base, chapitre précédent.
The asterisks call the basic techniques, preceding chapter.

A

Spread some dark couverture on a plastic sheet and flat cut the scales with a 3.5 cm (1.4 in) round pastry cutter. Stick them to the fishes' bodies with tempered couverture. Spray with tempered extra-fluid couverture.*
Next make the eyes. For the nose, mould a half-sphere of 4 cm (1.6 in) in diameter and attach it to the fishes' heads.*

Assemblage

Construire la structure de la pièce avec la barre de navigation et le socle en couverture noire. Disposez directement les poissons sur la structure. Décorez avec les algues en chocolat blanc et l'hippocampe.
Make the main structure of the piece with the tiller and the base in dark couverture. Put the fish directly onto the structure. Decorate with the white chocolate seaweed and the seahorse.

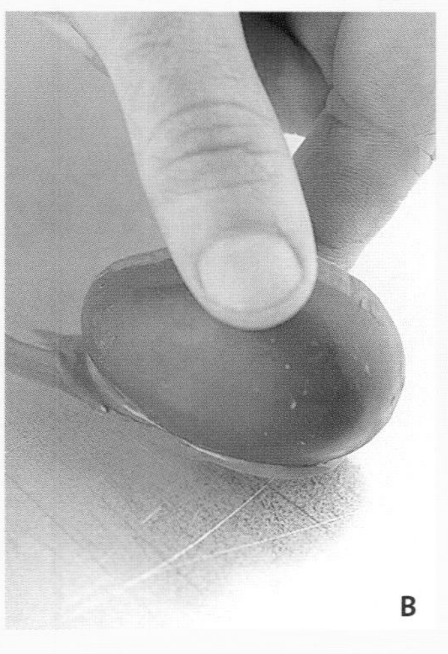

B

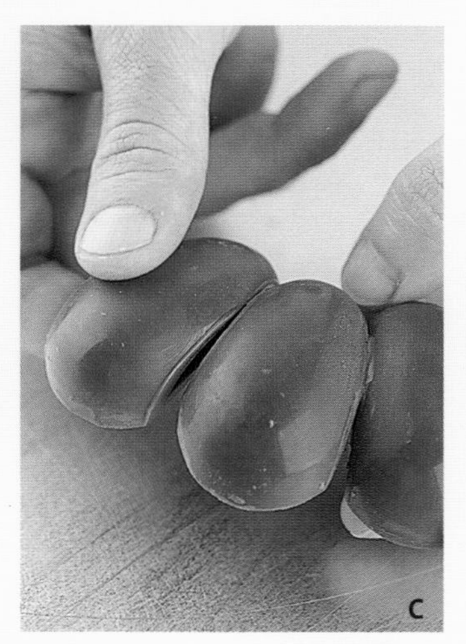

C

D

E

F

G

Nos conseils

OUR ADVICE

Pour faciliter la manipulation du corps des poissons faire un trou à l'arrière de celui-ci. Pour travailler aisément, disposez d'emblée les œufs de 20 cm sur des axes. Lorsque les poissons sont terminés, décollez-les de l'axe en utilisant un couteau chaud. Assemblez ensuite les éléments de la pièce.

Make a hole in the back of the fishes' bodies in order to move them confidently. To work more easily, place the 20 cm (8 in) eggs on axes. Once the fish are finished, remove them from the axis using a hot knife. Then put together the different components.

UNIVERS MARIN

UNIVERS MARIN

SEAWORLD

Univers marin Seaworld

Composition - *taille de la pièce : 75 x 60 cm - 30 x 24 in*
- Le socle *The base*
- Les coquillages *The shellfish*
- Les algues *The seaweed*
- L'amphore *The amphora*
- Le homard *The lobster*
- Les crevettes *The shrimps*

Ustensiles
- Trois moules thermoformés (amphore, coquillages, algues) *Three thermoformed moulds (amphora, shells, seaweed)*
- Un moule en polycarbonate (homard) *A polycarbonate mould (lobster)*
- Un film sérigraphié *A silkscreening film*
- Un cutter *A cutter*

Ingrédients
- 4 pains de chocolat de 2,5 kg *4 chocolate blocks of 5.5 lb*
- Couverture noire 55 % de cacao *Excellence* *Dark couverture 55% cocoa*
- Couverture lactée 36 % de cacao *Ambre Java* *Milk couverture 36 % cocoa*
- Chocolat blanc *Blanc Satin* *White chocolate*
- Chocolat coloré jaune *Décor Coloré Jaune* *Yellow coloured chocolate*
- Couverture extra-fluide *Barry Glace Fondant* *Extra-fluid couverture*
- Colorant blanc de titane Blanc de titane *colouring*
- Sucre glace *Icing sugar*
- Pâte de chocolat à modeler marron *Barry Décor Chocolat* *Brown modelling chocolate paste*

Le socle : utilisez les pains de chocolat de 2,5 kg.
Les coquillages, les algues, l'amphore : [K, L, M] réalisez-les en moulant de la couverture noire dans des moules thermoformés. Pour imiter des petits coquillages sur l'amphore, préparez un cornet de couverture noire tempérée. Déposez des gouttes de formes irrégulières sur l'amphore et pulvérisez immédiatement avec une bombe à froid. Le chocolat déformé par le gaz froid prend une forme sinueuse rappelant celle de petits coquillages.
Le homard : moulez en couverture lactée dans le moule en polycarbonate.
Les crevettes : [A, B, C, D, E, F, G, H, I, J] confectionnez quatre cônes* en chocolat blanc. Coupez-les en biais aux deux tiers de leur longueur. Assemblez ensuite les éléments pour réaliser la structure du corps. Collez cette structure sur une chute de cône. Arasez la pointe supérieure des cônes pour figurer l'emplacement de la tête. Détaillez des bandes sérigraphiées et étalez du chocolat coloré jaune tempéré. Décollez-les avec un cutter. Enlevez l'excédent de chocolat sur les bords du film. Disposez les bandes obtenues sur les corps des crevettes. Laissez cristalliser. Retirez le film après cristallisation. Pulvérisez de la couverture extra-fluide entre les bandes pour accentuer le contraste de couleur. Mixez du chocolat blanc avec du blanc de titane. Avec le mélange obtenu, modelez les pattes et les antennes sur le granit recouvert de sucre glace. Coupez les pattes en biais. Disposez les pattes et les antennes sur les crevettes. Modelez les yeux des crevettes en pâte de chocolat et collez-les au cornet avec du chocolat blanc tempéré.
The base: *use the chocolate blocks of 2,5 kg (5.5 lb).*
The shellfish, the seaweed and the amphora: [K, L, M] *make them by moulding dark couverture in thermoformed moulds. To imitate little shells on the amphora: prepare a cone filled with tempered dark couverture. Pipe som different sized drops on the amphora and spray immediately with a cold culinary spray. The cold gas shapes the chocolate into small shells.*
The lobster: *mould with milk couverture in the polycarbonate mould.*
The shrimps: [A, B, C, D, E, F, G, H, I, J] *make four white chocolate cones*. Cut them at an angle at the two thirds' point. Put the pieces together to make the body structure. Stick this structure onto a cone section. Shave the top point of the*

Notes
Les astérisques renvoient aux techniques de base, chapitre précédent.
The asterisks call the basic techniques, preceding chapter.

cones to place the head. Cut some silkscreening strips and spread some tempered yellow coloured chocolate. Remove with a cutter. Trim the chocolate from the edges of the film. Put the resulting strips on the shrimps' bodies. Leave to crystallise. Remove the film after crystallisation. Spray some extra-fluid couverture in between the strips to highlight the contrast in colour. Mix some white chocolate with some blanc de titane. *With the resulting mixture, mould the legs and the antennae on a table of granits covered with icing sugar. Cut the legs at an angle. Put the legs and the antennae onto the shrimps. Mould the shrimp eyes with modelling chocolate paste and stick them to the cone with tempered white chocolate.*

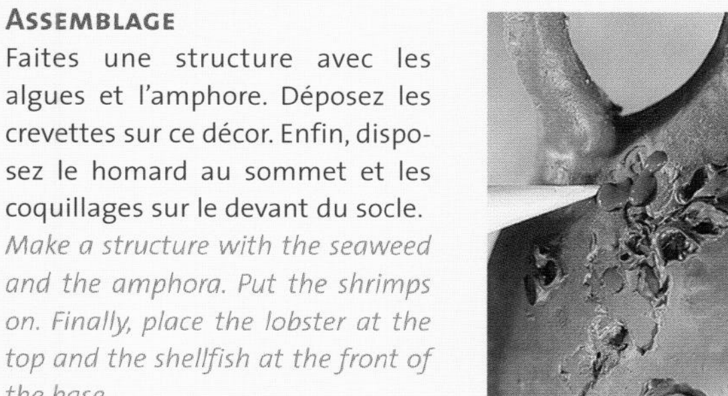

Assemblage

Faites une structure avec les algues et l'amphore. Déposez les crevettes sur ce décor. Enfin, disposez le homard au sommet et les coquillages sur le devant du socle.

Make a structure with the seaweed and the amphora. Put the shrimps on. Finally, place the lobster at the top and the shellfish at the front of the base.

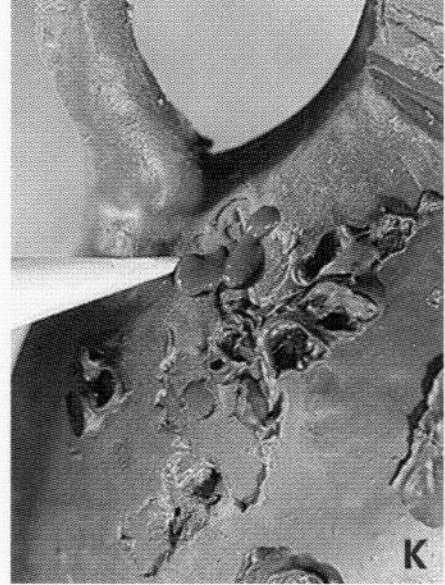

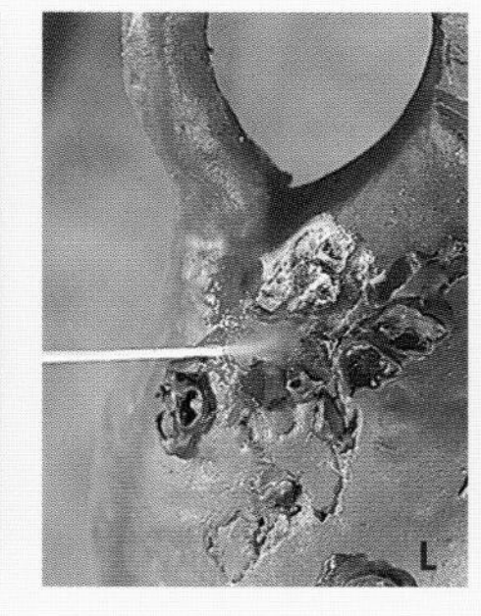

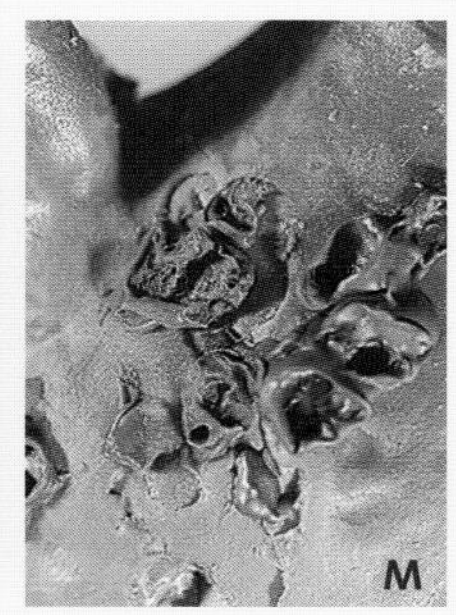

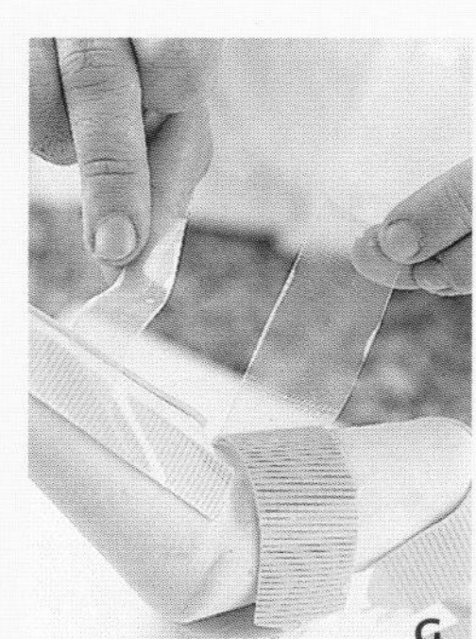

Nos conseils

OUR ADVICE

Au préalable du montage des pattes et des antennes, vous pouvez fixer les corps des crevettes sur la pièce et réaliser ensuite toutes les finitions sur celles-ci.

Before mounting the feet and the antennae, you can fix the shrimps' bodies directly onto the piece, and then carry out the final touches.

LA DÉTENTE

RELAXATION

La détente RELAXATION

COMPOSITION - *TAILLE DE LA PIÈCE : 110 X 55 CM - 44 X 22 IN*
- Le transat *The deckchair*
- L'ours *The bear*
- Le sable *The sand*

USTENSILES
- Ruban pâtissier en bande large *Wide strip patisserie ribbon*
- Deux moules à œuf en polycarbonate de 20 et 12,5 cm
Two egg-shaped polycarbonate moulds of 8 and 5 in
- Trois moules demi-sphère en polycarbonate de 12,5 ; 6 et 5 cm
Three half sphere polycarbonate moulds of 5; 2.4 and 2 in
- Un mixeur *A mixer*
- Un fouet *A whippon*

INGRÉDIENTS
- Couverture noire à 55 % de cacao *EXCELLENCE*
Dark couverture 55% cocoa
- Chocolat coloré saumon *DÉCOR COLORÉ SAUMON*
Salmon coloured chocolate
- Chocolat blanc *BLANC SATIN White chocolate*
- Couverture lactée 36 % de cacao *AMBRE JAVA*
Milk couverture 36% cocoa
- Couverture extra-fluide *BARRY GLACE FONDANT*
Extra-fluid couverture

Le transat : [A, B, C] détaillez à plat* des bandes de couverture noire de 2 cm de large sur 1 cm d'épaisseur. Arrondissez ensuite les extrémités de chaque bande après les avoir coupées à la longueur désirée. Assemblez et collez les éléments avec de la couverture noire tempérée. À l'aide d'un couteau à dents, donnez l'apparence du bois à l'armature de la chaise longue, marquez les crans avec un manche de fouet chaud. [D, E, F] Confectionnez ensuite le tissu en découpant une bande de film plastique à la longueur désirée. Fixez ce film sur le marbre en l'humidifiant légèrement afin d'éviter tout glissement. Collez sur ce film deux bandes de ruban pâtissier en bande large. Étalez sur le ruban ainsi disposé une première couche de chocolat coloré saumon. Retirez alors le ruban pâtissier. Laissez cristalliser légèrement et recouvrez de chocolat blanc tempéré. Avant cristallisation complète, disposez avec le film sur l'armature du transat. Lorsque le chocolat a durci, ôtez le film.
L'ours : [G, H] vous réaliserez son corps avec un œuf de 20 cm, ses membres avec un moule à œuf de 12,5 cm et sa tête à l'aide d'un moulage sphérique de 12,5 cm de diamètre. Utilisez des moules de 6 cm pour les oreilles et de 5 cm pour le museau. Effectuez tous ces moulages avec de la couverture lactée. Assemblez ensuite ces différents éléments. Pulvérisez ensuite le sujet avec de la couverture noire extra-fluide tempérée.
Le sable : passez du chocolat blanc au mixeur.
The deckchair: [A, B, C] *flat cut* strips of dark couverture, 2 cm (0.8 in) wide and 1 cm (0.4 in) thick. Round off the ends of each after cutting them to the desired length. Set and stick the different components with the tempered dark couverture. With a toothed knife, create a wood effect on the chair frame, and mark the notches with a hot whip handle.*
[D, E, F] *Next make the material by cutting a strip of plastic sheet to the desired length. In order to avoid sliding, lightly moisten the marble slab and put the sheet on. Stick two strips of patisserie ribbon onto the sheet. Spread a first layer of salmon coloured chocolate onto the laid out ribbon. Remove the patisserie ribbon. Leave to lightly crystallise and cover in tempered white chocolate. Before total crystallisation, place it, along with the sheet, on the deckchair frame. Once the chocolate has hardened, remove the sheet.*
The bear: [G, H] *make its body with a 20 cm (8 in) egg, its arms and legs with a 12.5 cm (5 in) egg-shaped mould, and its head with a spherical moulding of 12.5 cm (5 in) in diameter. Use 6 cm (2.4 in) moulds for the ears and 5 cm (2 in) for the snout. Make all these mouldings with milk couverture. Put the different components together. Then spray the piece with tempered extra-fluid dark couverture.*
The sand: *put some white chocolate in the mixer.*

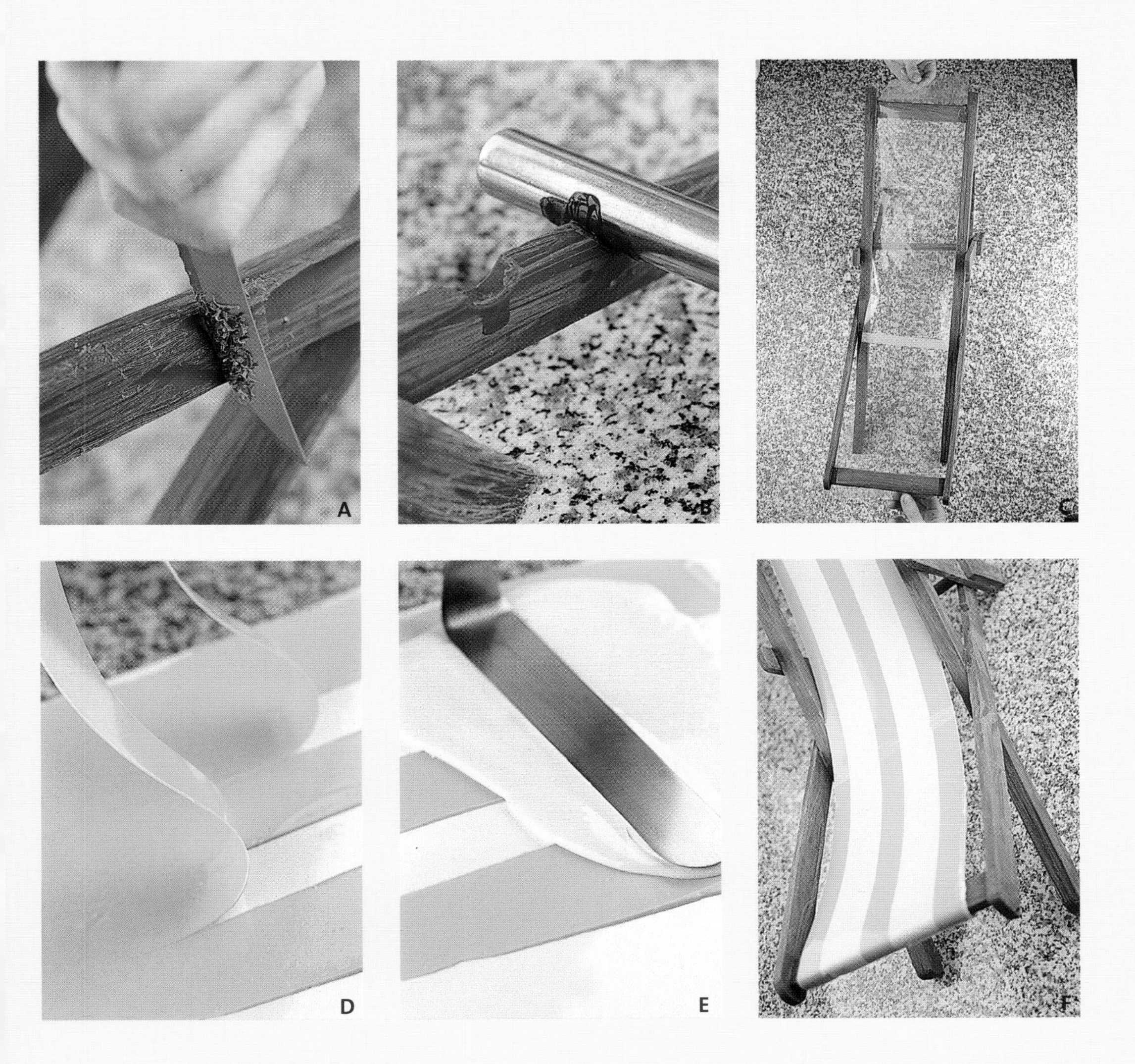

Assemblage

Disposez le sable en chocolat blanc sur le socle. Déposez la chaise longue et l'ours.

Put the white chocolate sand on the base. Then place the deckchair and the bear.

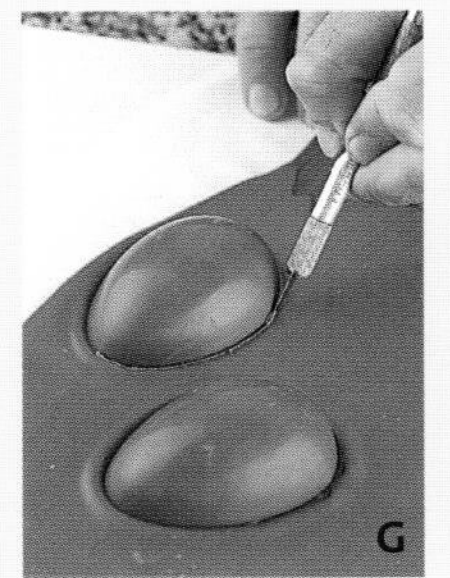

Nos conseils our advice

Attention à la fragilité de la chaise longue. Pour la consolider, vous pouvez mettre un axe, solidaire du socle, sous l'ours.

Be careful, as the deckchair is quite fragile. To strengthen it, you can place an axis alongside the base, and under the bear.

LA BAIGNADE

THE SWIM

La baignade THE SWIM

COMPOSITION - *TAILLE DE LA PIÈCE : 50 X 60 CM - 20 X 24 IN*
- Le phare *The lighthouse*
- La bouée *The buoy*
- Le drapeau *The flag*
- Le parasol *The parasol*
- L'ours *The bear*
- Le sable *The sand*

USTENSILES
- Quatre moules thermoformés (phare, bouée, drapeau et parasol) *Four thermoformed moulds (lighthouse, buoy, flag and parasol)*
- Trois moules demi-sphère en polycarbonate de 12,5 ; 6 et 5 cm *Three half sphere polycarbonate moulds of 5; 2.4 and 2 in*
- Deux moules à œuf en polycarbonate de 20 et 12,5 cm *Two egg-shaped polycarbonate moulds of 8 and 5 in*
- Un tamis à maille fine *A fine sieve*
- Un mixeur *A mixer*

INGRÉDIENTS
- Couverture lactée 36 % de cacao TERRE D'IVOIRE *Milk couverture 36 % cocoa*
- Chocolat coloré saumon *DÉCOR COLORÉ SAUMON* *Salmon coloured chocolate*
- Chocolat blanc *BLANC SATIN* *White chocolate*
- Pâte de chocolat à modeler marron *BARRY-DÉCOR CHOCOLAT* *Brown modelling chocolate paste*

Le phare, la bouée, le drapeau et le parasol : utilisez les moules thermoformés. Moulez le phare en couverture lactée, les parasols en chocolat coloré saumon et en chocolat blanc, la bouée en chocolat blanc.
L'ours : [A, B, C, D, E, F, G] réalisez son corps avec un œuf de 20 cm moulé. Moulez ses membres avec un moule à œuf de 12,5 cm. Sa tête est faite à l'aide d'un moulage sphérique de 12,5 cm de diamètre. Utilisez des moules de 6 cm pour les oreilles et de 5 cm pour le museau. Assemblez ensuite ces différents éléments. Pour tous ces moulages, vous devez utiliser de la couverture lactée.
Les cheveux du personnage : passez au travers d'un tamis à maille fine de la pâte de chocolat à modeler. Pour réussir cette opération, vous devez ramollir longuement la pâte de chocolat. Récupérez sur l'envers du tamis la touffe de cheveux obtenue à l'aide d'un cutter. Appliquez ces cheveux sur la tête de l'ours.
Le sable : passez des pastilles de chocolat blanc au mixeur, puis étendez-les sur le socle.
For the lighthouse, the buoy, the flag and the parasol: *use the thermoformed moulds. Make the lighthouse in milk couverture, the parasol in salmon coloured chocolate and white chocolate, and the buoy in white chocolate.*
The bear: [A, B, C, D, E, F, G] *make the body with a 20 cm (8 in) egg. Mould the arms and legs with a 12.5 cm (5 in) egg-shaped mould. Its head is made with a spherical mould of 12.5 cm (5 in) in diameter. Use 6 cm (2.4 in) moulds for the ears and 5 cm (2 in) for the snout. Next put together the different components. For all these mouldings, you should use milk couverture.*
The character's hair: *put the modelling chocolate paste through a fine sieve. Make sure you soften the chocolate paste properly, as this will ensure the process is successful. Peel the tuft of hair from the bottom of the sieve with a cutter. Place the hair on the bear's head.*
The sand: *put white chocolate drops in the mixer, and then spread them over the base.*

ASSEMBLAGE
Disposez le sable en chocolat blanc sur un support de votre choix. Ensuite, disposez les différents éléments de la pièce.
Sift the sand made with white powdered chocolate over a base of your own choosing, and then place the components.

A

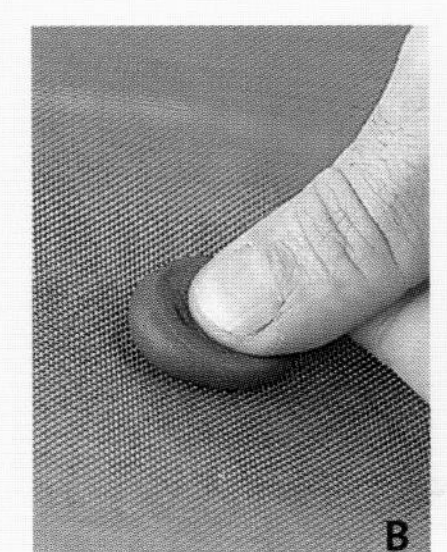
B

C

D

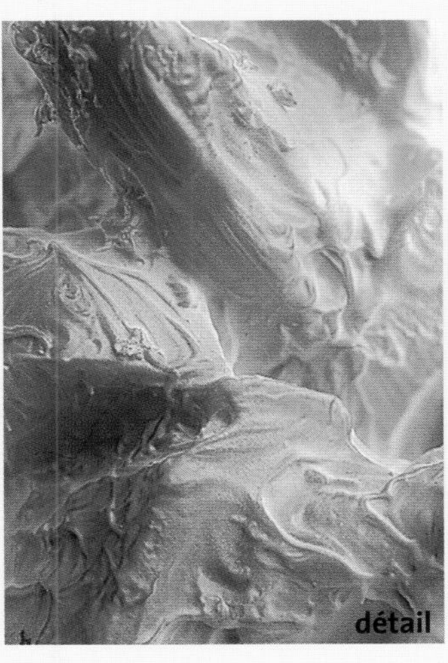
détail

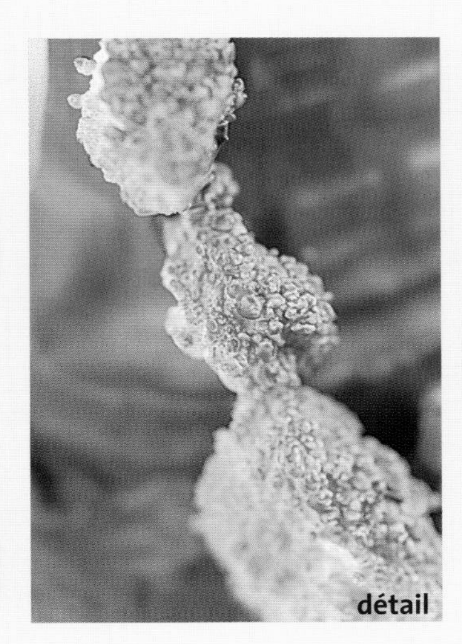
détail

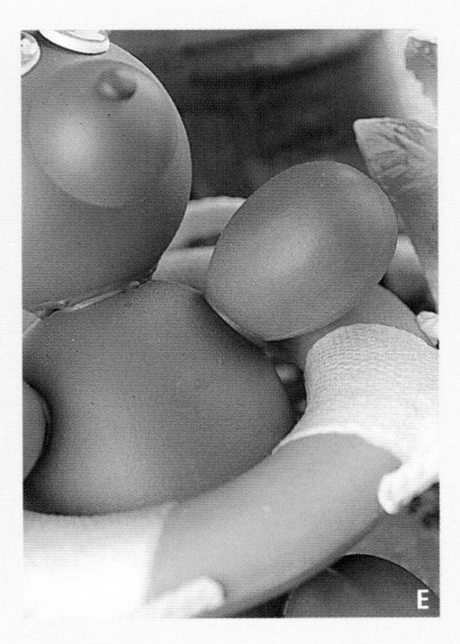
E

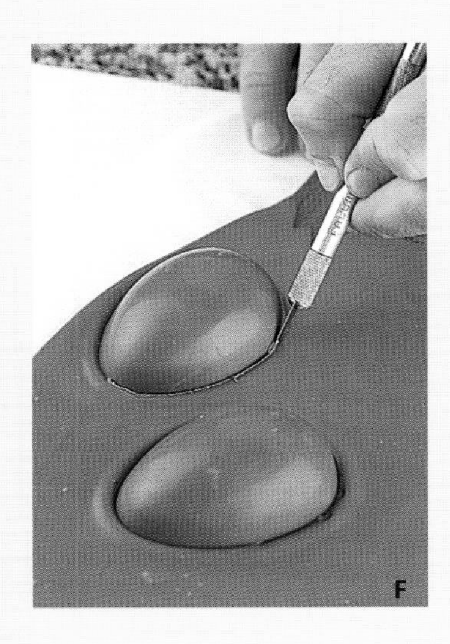
F

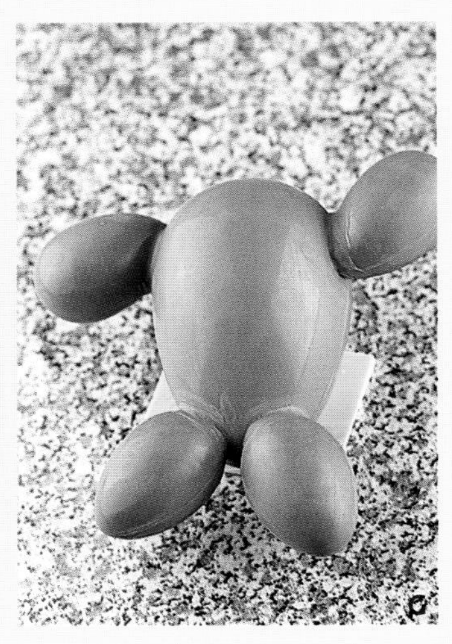
G

NOS CONSEILS OUR ADVICE

Il est nécessaire d'avoir trois points de collage pour la bouée afin d'assurer la solidité de l'ensemble. Il est également préférable de surélever l'ours sur un axe en chocolat.

We recommend that you make three sticking points on the buoy, to ensure the solidity of the whole piece. It is also advisable to raise the bear onto a chocolate axis.

PINOCCHIO

PINOCCHIO

PINOCCHIO

Le Pinocchio THE PINOCCHIO

COMPOSITION - *TAILLE DE LA PIÈCE : 60 X 27 CM - 24 X 11 IN*
- Les roues d'engrenage *The cogwheels*
- Le Pinocchio *The Pinocchio*

USTENSILES
- Des roues d'engrenage de différents diamètres *Cogwheels of different diameters*
- Une marionnette (Pinocchio) *A puppet (Pinocchio)*

INGRÉDIENTS
- Appareil à moules en gélatine *Gelatine moulding mixture*
- Couverture noire 58 % de cacao *FAVORITES MI-AMÈRE* *Dark couverture 58% cocoa*
- Beurre de cacao *Cocoa butter*
- Couverture lactée 36 % de cacao *AMBRE JAVA* *Milk couverture 36% cocoa*

Les roues d'engrenage : [A, B, C, D] prenez un récipient et déposez-y une roue d'engrenage. Coulez l'appareil à gélatine à une température de 50 °C, afin d'empêcher l'apparition de bulles lors du démoulage. Laissez refroidir pour que la gélatine se solidifie. Bien découper dans la gélatine pour en dégager l'excédent de matière qui pourrait gêner l'extraction de la roue d'engrenage.
Coulez une couverture noire enrichie de 40 % de beurre de cacao et tempérée à 31 °C. Devenue suffisamment fluide, la couverture épouse ainsi parfaitement la forme du moule. Laissez cristalliser et démoulez. Réitérez l'opération autant de fois que vous avez de roues d'engrenage.
Le Pinocchio : [E, F] procédez comme pour les roues d'engrenage. Pour faciliter la réalisation des différents éléments du Pinocchio, utilisez une marionnette facilement démontable. Vous pourrez créer ainsi les différents moules sans difficulté. Moulez les différents éléments du Pinocchio en couverture lactée et retravaillez les moulages si nécessaire. Assemblez-les avec une couverture noire tempérée à 31 °C.
The cogwheels: [A, B, C, D] *take a container and insert a cogwheel. Pour in the gelatine at 50 °C (122 °F), so as to prevent air bubbles when you turn it out. Leave to cool, until the gelatine becomes solid. Make sure the cogwheel can be easily extracted, by removing any excess gelatine.*
Pour in the dark couverture, enriched with 40% cocoa butter and tempered at 31 °C (88 °F). When sufficiently fluid, the couverture should perfectly fit the shape of the mould. Leave to crystallise and turn out. Carry out the same process for the other cogwheels.
The Pinocchio: [E, F] *continue in the same way as for the cogwheels. To make it easier to construct the different components of the Pinocchio, use a puppet that is easy to dismantle. You can thus create different moulds without difficulty. Mould the different components of the Pinocchio in milk couverture and rework the mouldings if necessary. Put them together with a dark couverture tempered at 31 °C (88 °F).*

ASSEMBLAGE
Disposez les roues d'engrenage et intégrez le personnage. La construction finale doit donner l'impression d'un mouvement naturel, les roues semblant se déplacer vers un des côtés de la pièce.
Place the cogwheels and integrate the character. The final piece should create an impression of natural movement, as if the wheels are moving towards the side of the piece.

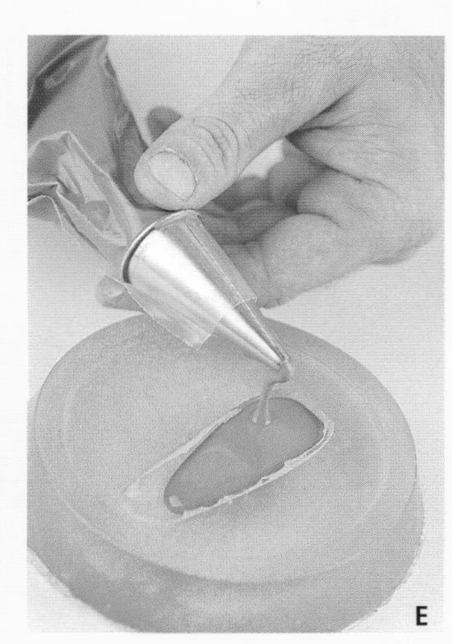

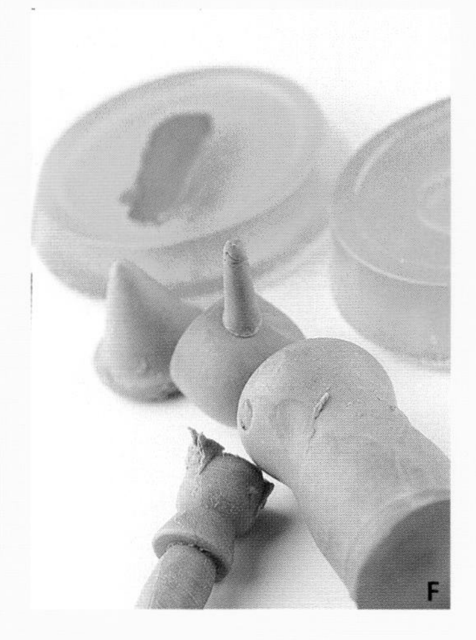

NOS CONSEILS OUR ADVICE

Il est nécessaire de lisser les bavures issues du moulage avant l'assemblage des éléments. Pour obtenir un démoulage qui garantisse une belle apparence, laissez refroidir le moule en surgélation. Pour bien réaliser l'empreinte dans la gélatine, la température du moule doit être de 20 °C.

Be sure to smooth out the edges resulting from the moulding, before assembling the piece. For a successful and attractive turning out, leave the mould to freeze. To create the print in the gelatine, use a mould heated to 20 °C (68 °F).

LE COQ
THE COCKEREL

Le coq THE COCKEREL

COMPOSITION - *TAILLE DE LA PIÈCE : 85 X 40 CM - 34 X 16 IN*
- Le socle *The base*
- Le coq *The cockerel*
- Les plumes *The feathers*

USTENSILES
- Un cercle à pâtisserie *A pastry ring*
- Un moule demi-sphère en polycarbonate de 12,5 cm
A 5 in polycarbonate half-sphere mould
- Un emporte-pièce *A pastry cutter*
- Moules à œuf en polycarbonate de 20 et 7,5 cm
Polycarbonate egg moulds of 8 and 3 in
- Un mixeur *A mixer*
- Un ébauchoir *A paring-chisel*
- Un cutter *A cutter*
- Une demi-sphère inox *A stainless steel half-sphere*

INGRÉDIENTS
- Couverture noire 58 % de cacao *FAVORITES MI-AMÈRE*
Dark couverture 58% cocoa
- Chocolat blanc *BLANC SATIN White chocolate*
- Couverture extra-fluide *BARRY GLACE FONDANT*
Extra-fluid couverture

Le socle : coulez à l'intérieur d'un cercle à pâtisserie de la couverture noire tempérée. Ôtez le cercle lorsque le chocolat est cristallisé.
Le coq : pour les pattes, préparez deux axes* d'un diamètre de 3 cm en couverture noire. Moulez une demi-sphère en couverture noire de 12,5 cm et percez-la en deux points avec un emporte-pièce chaud. Disposez les axes dans la demi-sphère. Réalisez le corps avec un œuf de 20 cm. Percez cet œuf pour placer les pattes. Figurez le cou à l'aide d'un cône* et collez-le sur le corps. Disposez sur ce cou un œuf de 7,5 cm.
Le bec : [A, B, C] mixez des pastilles de chocolat blanc jusqu'à obtention d'une pâte homogène.
Modelez les deux parties du bec en forme de cônes allongés. Collez le bec sur la tête du coq. Marquez la fente du bec à l'aide d'un ébauchoir. Assemblez les deux parties du bec avec du chocolat blanc tempéré.
Les plumes : [D, E, F] détaillez à plat* les plumes à l'aide d'un gabarit dans la couverture noire 58 % de cacao. Pour réaliser ce gabarit, dessinez les formes désirées sur un carton souple et détaillez au cutter.
The base: *pour the tempered dark couverture into the pastry ring. Remove the ring once the chocolate has crystallised.*
The cockerel: *for the legs, prepare two dark couverture axes* of 3 cm (1.2 in) in diameter. Mould a 12.5 cm (5 in) half-sphere in dark couverture and pierced it in two places with a hot pastry cutter. Put the axes in the half sphere. Make the body with a 20 cm (8 in) egg. Pierce the egg to position the legs. Make the neck with a cone* and stick it onto the body. Put a 7.5 cm (3 in) egg on the neck.*
The beak: [A, B, C] *crush some white chocolate drops until you obtain a smooth paste. Make the two parts of the beak in the form of stretched out cones. Stick the beak to the head of the cockerel. Mark the opening in the beak with a paring-chisel. Put the two pieces of the beak together with tempered white chocolate.*
The feathers: [D, E, F] *flat cut* the feathers with a template with dark couverture 58% cocoa. To make this template, draw the desired shapes on a flexible piece of card and cut with a cutter.*

NOTES
Les astérisques renvoient aux techniques de base, chapitre précédent.
The asterisks call the basic techniques, preceding chapter.

ASSEMBLAGE
Fixez le coq sur le socle. Collez l'ensemble des plumes sur le corps du coq de manière à donner du volume au sujet.
Collez une pastille de couverture lactée pour figurer l'œil.
Pulvérisez de la couverture extra-fluide tempérée sur le coq.
Attach the cockerel to the base. Stick the whole plumage on the cockerel's body in order to give the character a certain volume. Stick on a milk chocolate drop for the eye. Spray tempered extra-fluid couverture over the cockerel.

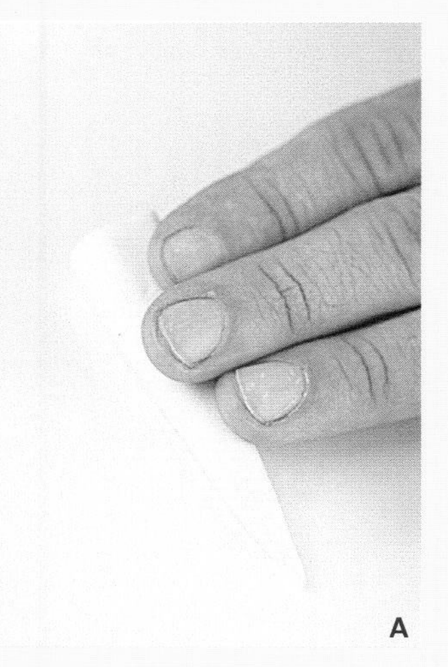

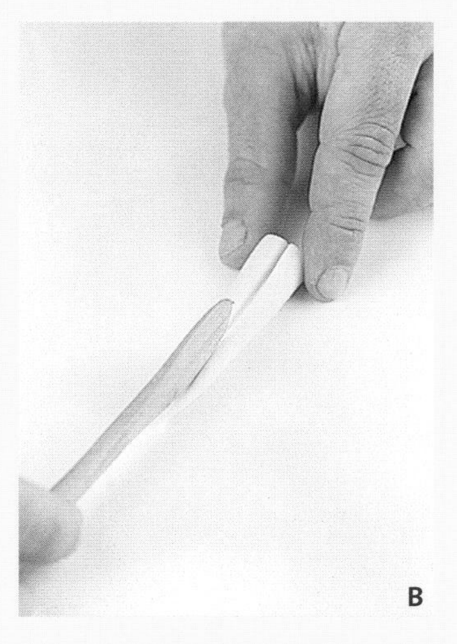

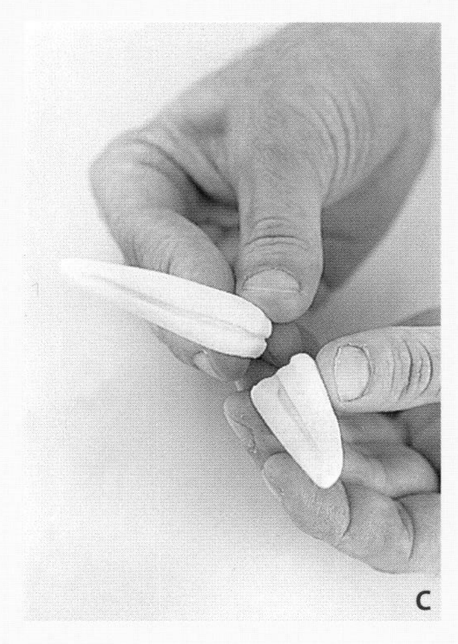

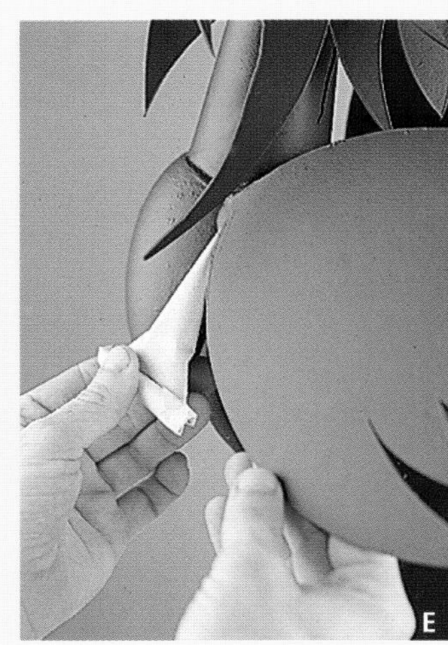

NOS CONSEILS OUR ADVICE

Avec un peu d'habitude, il vous est possible de détailler sans gabarit. Dans ce cas, dessinez de beaux arrondis avec le cutter lors de la découpe.
Pour assurer une bonne solidité à la pièce, l'épaisseur des plumes doit être au minimum de 0,5 cm.
Pour collez le bec, usez-le sur une demi-sphère en inox afin qu'il épouse parfaitement la forme arrondie de la tête.

With practice, you will find it possible to cut the feathers without a template. In this case, create attractive rounded edges with the cutter when you cut them out.
To make sure the piece is solid, the feathers should be at least 0.5 cm (0.2 in) thick. To attach the beak, rub it on an stainless steel half-sphere so that it perfectly fits the rounded form of the head.

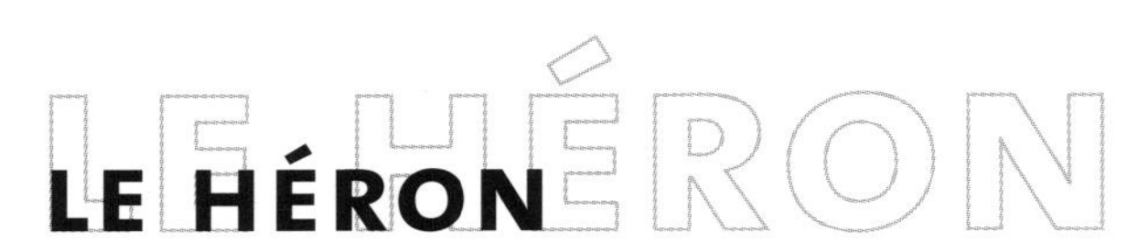

LE HÉRON

THE HERON

Le héron THE HERON

COMPOSITION - *TAILLE DE LA PIÈCE : 85 X 40 CM - 34 X 16 IN*
- Le socle *The base*
- Le héron *The heron*
- Les feuilles naturelles *The natural leaves*
- Les rochers suisses Les rochers suisses

USTENSILES
- Un cercle à pâtisserie *A pastry ring*
- Un moule demi-sphère en polycarbonate de 12,5 cm
A 5 in polycarbonate half sphere mould
- Un emporte-pièce de 3 cm *A 1.2 in pastry cutter*
- Deux moules à œuf en polycarbonate de 20 et 5,5 cm
Two egg-shaped polycarbonate moulds of 8 and 2.2 in
- Des feuilles d'arbre (exemple : feuilles de platane)
Tree leaves (plane tree leaves, for example)

INGRÉDIENTS
- Couverture noire 58 % de cacao *FAVORITES MI-AMÈRE*
Dark couverture 58% cocoa
- Beurre de cacao *Cocoa butter*
- Colorant liposoluble rouge *Red liposoluble colouring*
- 800 g d'amandes en bâtonnets *28 oz almond sticks*
- 200 g de sucre *7 oz sugar*
- 30 g d'eau *1 oz water*
- Couverture lactée 36 % de cacao *AMBRE JAVA*
Milk couverture 36% cocoa

Le socle : coulez de la couverture noire à l'intérieur d'un cercle à pâtisserie. Ôtez le cercle lorsque le chocolat est cristallisé.
Le héron : [A] percez une demi-sphère en couverture noire de 12,5 cm avec un emporte-pièce chaud. Pour les pattes, préparez deux axes* d'un diamètre de 3 cm en couverture noire. Disposez ces axes dans la demi-sphère. Réalisez le corps avec un œuf de 20 cm. Percez cet œuf pour placer les pattes. Figurez le cou à l'aide d'un cône* et collez-le sur le corps. Disposez sur ce cou un œuf de 5,5 cm. Collez le bec réalisé à l'aide d'un cône plus fin que le cou.
Les feuilles : [B, C, D] nettoyez des feuilles naturelles et enduisez-les d'une fine couche de beurre de cacao coloré de rouge. Laissez cristalliser. Ajoutez ensuite une fine couche de couverture noire tempérée. Laissez à nouveau cristalliser puis retirez la feuille.
Les rochers suisses : [E, F, G] torréfiez 800 g d'amandes en bâtonnets. Faites cuire à 115 °C 200 g de sucre et 30 g d'eau. Versez sur les amandes et caramélisez. Laissez refroidir et ajoutez 500 g de couverture lactée tempérée. Dressez sur une feuille de papier cuisson et laissez cristalliser.
The base: *pour the dark couverture into the pastry ring. Remove the ring once the chocolate has crystallised.*
The heron: [A] *pierce a 12.5 cm (5 in) dark couverture half-sphere with a hot pastry cutter. For the legs, prepare two dark couverture axes* of 3 cm (1.2 in) in diameter. Put the axes on the half sphere. Make the body with a 20 cm (8 in) egg. Pierce the egg to position the legs. Make the neck with a cone*, and stick it onto the body. Put a 5.5 cm (2.2 in) egg onto the neck. Stick on the beak, which is made with a smaller cone than for the neck.*
The leaves: [B, C, D] *clean the natural leaves and coat them with a thin layer of red coloured cocoa butter. Leave to crystallise. Next add a thin layer of tempered dark couverture. Leave again to crystallise, and remove the leaf.*
Les rochers suisses: ***[E, F, G]*** *roast 800 g (28 oz) of almond sticks. Cook 200 g (7 oz) of sugar and 30 g (1 oz) of water at 115 °C (239 °F). Pour over the almonds and caramelise. Leave to cool and add 500 g (18 oz) tempered milk couverture. Put on a sheet of baking paper and leave to crystallise.*

NOTES
Les astérisques renvoient aux techniques de base, chapitre précédent.
The asterisks call the basic techniques, preceding chapter.

ASSEMBLAGE
[H] Fixez le héron sur le socle. Déposez les rochers suisses sur les pattes. Orientez la tête de côté et légèrement vers le bas. Collez ensuite les feuilles de chocolat sur le corps de l'oiseau.
[H] Attach the heron to the base. Place the rochers suisses *on the legs. Position the head to the side and slightly downward. Stick the chocolate leaves on the bird's body.*

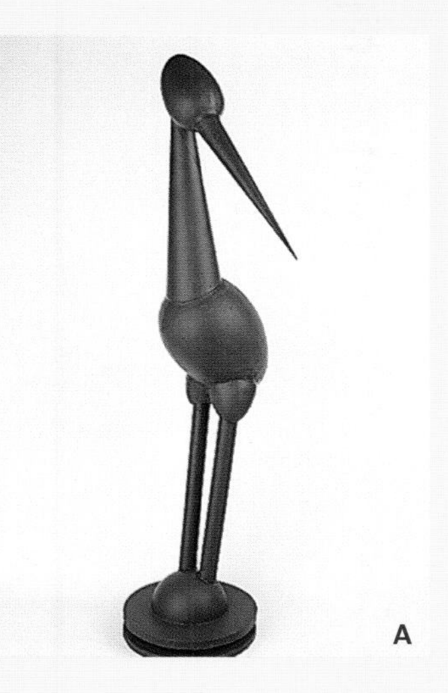
A

Nos conseils OUR ADVICE

Usez les différents éléments sur une plaque chaude afin de faciliter l'assemblage. Pour éviter toute déformation, les cônes les plus fins doivent être pleins. La tête inclinée de l'oiseau renforcera son aspect vivant et harmonieux.

Rub the different components on a hot plaque to make them easier to put together. To avoid them becoming deformed, the fine cones should be full. Positioning the bird's head slightly to the side will make it look more lifelike and harmonious.

B

C

D

E

F

G

H

TOTEM

TOTEM

TOTEM

Totem TOTEM

COMPOSITION - *TAILLE DE LA PIÈCE : 85 X 30 CM - 34 X 12 IN*
- Le socle *The base*
- L'axe central *The central axis*
- Les masques africains *The African masks*
- Les défenses d'éléphant *The elephant tusks*

USTENSILES
- Un cercle à pâtisserie *A pastry ring*
- Un couteau filet-de-sole *A fish knife*
- Des masques africains en bois de différentes tailles *Different sized wooden African masks*
- Un pinceau *A brush*

INGRÉDIENTS
- Couverture noire 58 % de cacao *FAVORITES MI-AMÈRE* *Dark couverture 58% cocoa*
- Chocolat blanc *BLANC SATIN* *White chocolate*
- Gélatine en feuilles *Gelatine sheets*
- Couverture lactée 36 % de cacao *AMBRE JAVA* *Milk couverture 36% cocoa*
- Couverture extra-fluide *BARRY GLACE FONDANT* *Extra-fluid couverture*
- Sucre glace *Icing sugar*

Le socle : [A, B, C] coulez à l'intérieur d'un cercle à pâtisserie de la couverture noire. Ôtez le cercle lorsque le chocolat est cristallisé. Réalisez l'axe central.
Mixez des pastilles de chocolat blanc pour obtenir une pâte souple. Appliquez ce mélange sur l'axe central. Retravaillez avec un couteau filet-de-sole afin de donner du relief.
Les masques africains : [G, H] réalisez des moules en gélatine à partir de masques déjà existants.
Appliquez une première couche de couverture à l'intérieur des moules à l'aide d'un pinceau. Coulez la couverture lactée. Laissez cristalliser puis démoulez. Pulvérisez ensuite de la couverture extra-fluide sur les moulages réalisés.
Les défenses : [D, E, F] homogénéisez à la main du chocolat blanc mixé. Façonnez la défense sur le granit préalablement recouvert de sucre glace pour éviter que le chocolat n'adhère. Donnez à la défense la forme désirée.

***The base:* [A, B, C]** *pour the dark couverture into the pastry ring. Remove the ring once the chocolate has crystallised. Make the central axis.*
Crush some white chocolate drops to obtain a flexible paste. Apply this mixture to the central axis. Rework with a fish knife in order to give it relief.
***The African masks:* [G, H]** *make the gelatine moulds using pre-existing masks.*
Put a first layer of couverture into the moulds with the help of a brush. Pour in the milk couverture. Leave to crystallise and turn out. Next spray the finished mouldings with extra-fluid couverture.
***The tusks:* [D, E, F]** *work some mixed white chocolate by hand. Shape the tusk on a table of granit covered in icing sugar to prevent the chocolate from sticking. Give it the desired shape.*

ASSEMBLAGE
Fixez l'axe sur le socle. Collez les masques sur l'axe. Pulvérisez avec de la couverture extra-fluide tempérée à 31 °C avant de coller les défenses. Disposer les défenses sur la pièce.
Attach the axis to the base. Stick the masks onto the axis. Spray with extra-fluid couverture tempered at 31 °C (88 °F) before sticking on the tusks. Put the tusks on the piece.

A

B

C

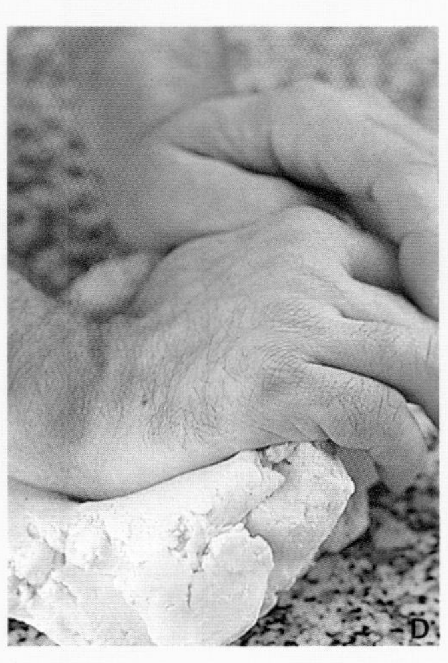

D

E

F

G

H

Nos conseils

OUR ADVICE

Ne pulvérisez pas trop de couverture extra-fluide sur les masques afin de laisser transparaître la couleur de la couverture lactée. Cet effet donnera un aspect plus proche de celui du bois.

Pour obtenir un bon contraste, il est important de coller les défenses après la pulvérisation de la couverture extra-fluide.

Les moules en gélatine se conservent au congélateur.

Don't spray the masks too much with the extra-fluid couverture, so as to let the colour of the milk couverture show through. This technique will give it a wood-like effect. To obtain a good contrast, it is important to stick the tusks on after spraying with the extra-fluid couverture. The gelatine moulds can be preserved in the freezer.

LES TROPIQUES

THE TROPICS

Les tropiques THE TROPICS

COMPOSITION - *TAILLE DE LA PIÈCE : 75 X 25 CM - 30 X 10 IN*
- Le socle *The base*
- L'axe central *The central axis*
- Les cabosses *The pods*
- Le masque *The mask*
- La robe *The dress*
- Le plumet *The plume*
- Le drapé *The drape*

USTENSILES
- Un cercle à pâtisserie *A pastry ring*
- Un moule à cabosse en polycarbonate *A polycarbonate pod mould*
- Un masque africain *An African mask*
- Un pinceau *A brush*
- Une feuille de rhodoïd rhodoïd *sheet*
- Un emporte-pièce de 3 cm *A 1.2 in pastry cutter*

INGRÉDIENTS
- Couverture noire 58 % de cacao *FAVORITES MI-AMÈRE* *Dark couverture 58% cocoa*
- Chocolat coloré jaune *DÉCOR COLORÉ JAUNE* *Yellow coloured chocolate*
- Pâte de chocolat à modeler marron *BARRY DÉCOR CHOCOLAT* *Brown modelling chocolate paste*
- Pâte de chocolat à modeler ivoire *BARRY DÉCOR IVOIRE* *Ivory modelling chocolate paste*
- Couverture extra-fluide *BARRY GLACE FONDANT* *Extra-fluid couverture*

Le socle : [A, B, C] coulez à l'intérieur d'un cercle à pâtisserie de la couverture noire. Ôtez le cercle lorsque le chocolat est cristallisé. Réalisez l'axe* central.
Les cabosses : réalisez-les à l'aide du moule en polycarbonate.
Le masque : réalisez des moules en gélatine à partir de masques déjà existants. Appliquez une première couche de chocolat coloré jaune tempéré à l'intérieur des moules à l'aide d'un pinceau. Coulez du chocolat coloré jaune. Laissez cristalliser puis démoulez. Appliquez de la pâte de chocolat à modeler marron sur le dessus du masque.
La robe : [D, E] détaillez la feuille de rhodoïd et formez un cône*. Coulez le chocolat coloré jaune à l'intérieur du cône et évidez l'excédent en le retournant. Laissez cristalliser puis démoulez. Percez le sommet du cône avec l'emporte-pièce de 3 cm chauffé. Disposez solidement le cône à mi-hauteur de l'axe. Pochez sur un marbre congelé du chocolat coloré jaune. Coupez-le en tronçons d'environ 15 cm puis laissez cristalliser. Collez les bâtonnets sur le cône avec du chocolat coloré jaune. Disposez-les de manière irrégulière.
Le plumet : [F] réalisez avec de la couverture noire (58 %) des mikados* que vous disposerez sur le sommet du masque.

***The base:** [A, B, C] pour the dark couverture into the pastry ring. Remove the ring once the chocolate has crystallised. Make the central axis*.*
***The pods:** make them with the polycarbonate mould.*
***The mask:** make gelatine moulds from pre-existing masks. Put a first layer of tempered yellow coloured chocolate on the inside of the moulds with a brush. Pour in some yellow coloured chocolate. Leave to crystallise and turn out. Put some brown modelling chocolate paste on top of the mask.*
***The dress:** [D, E] cut the* rhodoïd *sheet and shape it into a cone*. Pour the yellow coloured chocolate into the cone and hollow out the excess by turning it over. Leave to crystallise and turn out. Pierce the top of the cone with the 3 cm (1.2 in) heated pastry cutter. Place the cone securely half way up the axis. Pipe some yellow coloured chocolate on a frozen marble slab. Cut it into sections of approximately 15 cm (6 in) in length, and leave to crystallise. Attach the sticks to the cone with yellow coloured chocolate. Arrange them in an irregular fashion.*
***The plume:** [F] make some mikados* with tempered dark couverture (58%) and place them at the top of the mask.*

NOTES
Les astérisques renvoient aux techniques de base, chapitre précédent.
The asterisks call the basic techniques, preceding chapter.

A

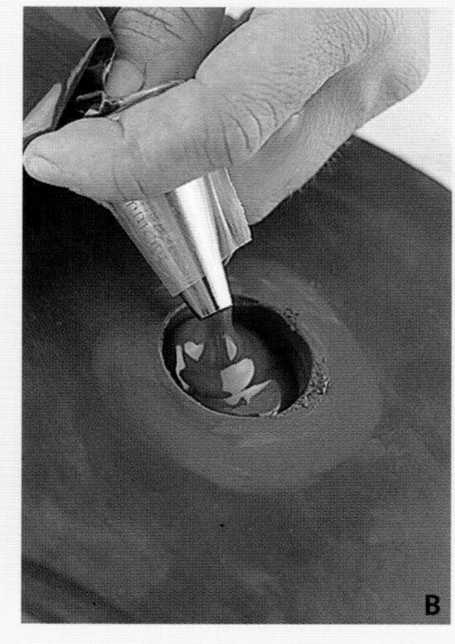

B

C

D

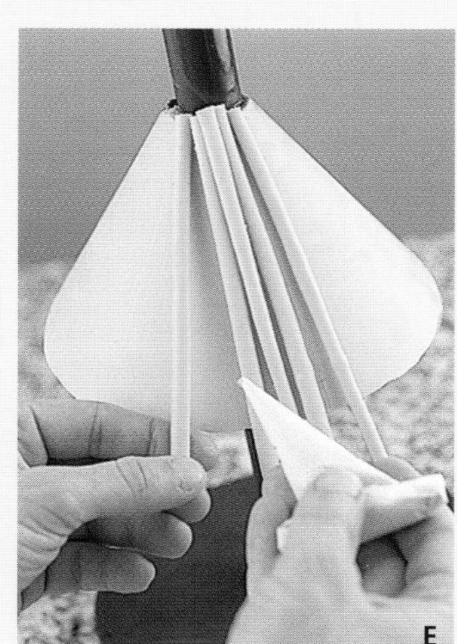

E

F

Nos conseils

OUR ADVICE

Il est préférable de mouler le cône qui sert de structure sur une épaisseur importante.

As the cone acts as the main structure, it is better to mould it particularly thickly.

G

Assemblage

Fixez le masque sur le sommet de l'axe.

Faites une abaisse de pâte de chocolat à modeler ivoire, puis drapez-la sur le masque.

[G] Pulvérisez avec la couverture extra-fluide tempérée à 31 °C en faisant pochoir avec des petits bâtonnets en bois.

Disposez les mikados au sommet du masque. Collez les cabosses sous la robe.

Attach the mask to the top of the axis.

Make a roll of ivory modelling chocolate paste, and drape it over the mask.

[G] With extra-fluid couverture tempered at 31 °C (88 °F), spray the templates created with small wooden sticks.

Put the mikados on the top of the mask. Stick the pods underneath the dress.

DÉLICE D'ASIE

DELICACY FROM ASIA

Délice d'Asie

DELICACY FROM ASIA

COMPOSITION - *TAILLE DE LA PIÈCE : 60 X 60 CM - 24 X 24 IN*
- Le socle *The base*
- Les cubes *The cubes*
- L'éventail *The fan*
- Les poupées *The dolls*

USTENSILES
- Une feuille de silicone texturée 40 x 60 cm
A sheet of textured silicone 16 x 24 in
- Une feuille plastique texturée *A textured plastic sheet*
- Un moule demi-sphère en polycarbonate de 3 cm
A 1.2 in half-sphere polycarbonate mould
- Un moule à œuf en polycarbonate de 5 cm
A 2 in polycarbonate egg mould
- Un film sérigraphié *A silkscreening film*
- Un mixeur *A mixer*
- Un pinceau *A brush*

INGRÉDIENTS
- Couverture lactée 36 % de cacao *AMBRE JAVA*
Milk couverture 36% cocoa
- Couverture noire 58 % de cacao *FAVORITES MI-AMÈRE*
Dark couverture, 58% cocoa
- Chocolat blanc *BLANC SATIN White chocolate*
- Poudre de cacao *Cocoa powder*
- Colorants liposolubles rouge et noir
Red and black liposoluble colourings
- Chocolat coloré saumon *DÉCOR COLORÉ SAUMON*
Salmon coloured chocolate
- Beurre de cacao *Cocoa butter*

Le socle : [B, C, D, E] étalez de la couverture lactée sur une feuille de silicone texturée de 40 x 60 cm. Détaillez* en diagonale pour obtenir deux triangles.
Retournez les triangles et posez-les sur une couche de couverture noire de 1 cm d'épaisseur.
Détaillez les contours avant que le chocolat ne durcisse.
Les cubes : réalisez-les par détaillage à plat des pans du cube. Assemblez les ensuite.
L'éventail : faites une abaisse de chocolat blanc sur une feuille de plastique texturée avec des points de cacao rouge.
La poupée : [A, F, G, H, I, J, K] réalisez un axe* de 12 cm de long pour le corps. Moulez trois demi-sphères de 3 cm en chocolat blanc. Collez une des demi-sphère sur l'axe pour constituer le cou. Faites une boule avec les deux demi-sphères restantes pour constituer la tête. Réalisez les chapeaux à l'aide d'un œuf de 5 cm découpé avec la lame d'un couteau chauffé. Étalez du chocolat coloré saumon tempéré sur un film sérigraphié. Disposez-le autour du corps de la poupée et laissez cristalliser. Pour réaliser les chignons, mixez du chocolat blanc coloré en rouge avec du colorant liposoluble. Modelez et collez avec du chocolat blanc sur le sommet des têtes. Pour dessiner la bouche, préparez un épais mélange de colorant en poudre rouge et de beurre de cacao. Appliquez cette pâte au pinceau.
Recommencez l'opération avec du colorant noir pour les yeux.
The base: *spread some milk couverture over a textured silicon sheet of 40 x 60 cm (16 x 24 in). Cut* diagonally to obtain two triangles. Turn the triangles over and place them on a layer of 1 cm thick (0.4 in) dark couverture. Trim the edges before the chocolate hardens.*
The cubes: *to make them, flat cut squares and stick them.*
The fan: *spread a white chocolate on a sheet of textured plastic with red cocoa spots.*
The doll: *make a 12 cm (4.8 in) long axis* for the body. Mould three white chocolate 3 cm (1.2 in) half-spheres. Stick one of the half-spheres onto the axis to make the neck. Make a ball with the two remaining half-spheres for the head. Make the hats with a 5 cm (2 in) egg, cut up with a warm knife blade. Spread some tempered salmon coloured chocolate on a silkscreening film. Put it around the doll's body and leave to crystallise. To make the chignons, mix some red coloured*

NOTES
Les astérisques renvoient aux techniques de base, chapitre précédent.
The asterisks call the basic techniques, preceding chapter.

white chocolate with liposoluble colouring. Mould and stick onto the tops of the heads with white chocolate. To draw the mouth, prepare a thick mixture of powder red colouring and cocoa butter. Apply the paste with a brush. Carry out the same process with black colouring for the eyes.

Assemblage

Disposez le socle et les cubes. Finissez en plaçant l'éventail et les poupées.

Arrange the base and the cubes. Finish by placing the fan and the dolls.

Nos conseils

OUR ADVICE

Pour les poupées, la hauteur de l'axe doit être égale à celle de la partie supérieure de la poupée.

The height of the axis should be the same as the top section of the dolls themselves.

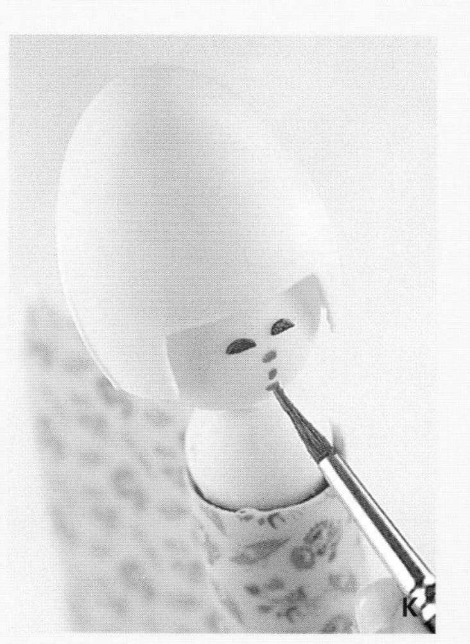

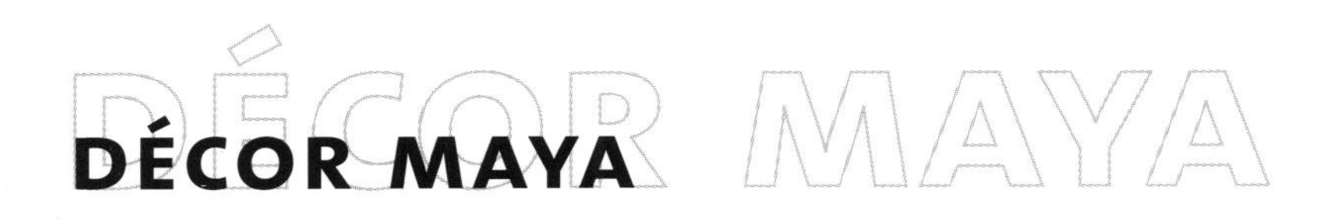

DÉCOR MAYA

MAYA SETTING

Décor maya MAYA SETTING

COMPOSITION - *TAILLE DE LA PIÈCE : 65 X 70 CM - 26 X 28 IN*
- Le socle *The base*
- La sculpture maya *The Maya sculpture*
- Les cabosses *The pods*
- Les tablettes en chocolat *Rectangles of chocolate*
- Les flammèches *The flakes*
- Les fleurs *The flowers*
- Le feuillage *The leaves*

USTENSILES
- Un cercle à pâtisserie *A pastry ring*
- Deux moules thermoformés (sculpture maya et socle) *Two thermoformed moulds (Maya sculpture and base)*
- Deux moules en polycarbonate (cabosses et tablettes) *Two polycarbonate moulds (pods and rectangles)*
- Une feuille d'or *A gold leaf*
- Un film sérigraphié *A silkscreening film*
- Un emporte-pièce de 6 cm *A 2.4 in pastry cutter*

INGRÉDIENTS
- Couverture lactée 36 % de cacao *TERRE D'IVOIRE* *Milk couverture 36% cocoa*
- Couverture noire 55 % de cacao *EXCELLENCE* *Dark couverture 55% cocoa*
- Couverture extra-fluide *BARRY GLACE FONDANT* *Extra-fluid couverture*

Le socle et la sculpture maya : utilisez les moules thermoformés. Moulez ces éléments en couverture lactée.
Les cabosses et les tablettes : moulez-les à la feuille d'or avec de la couverture lactée, en ayant soin de pulvériser au préalable les moules de couverture extra-fluide.
Réalisez les flammèches* avec de la couverture noire.
Les fleurs: [A, B, C, D, E] détaillez à plat* les pétales sur du film sérigraphié.
Déposez un point de couverture noire au centre d'un emporte-pièce de 6 cm.
Disposez cinq pétales sur ce point de couverture et laissez cristalliser.
Fabriquez les pistils : réalisez des mikados* roulés en biais. Ajoutez-les au centre de la fleur.
Le feuillage : sur le film sérigraphié, détaillez des cercles suivant la même technique que les fleurs.
The base and the Maya sculpture: *use the thermoformed moulds. Make them with milk couverture.*
The pods and the rectangles: *mould them with the gold leaf, making sure you have already sprayed the moulds with extra-fluid couverture. Next, mould the pods with couverture.*
Make the flakes with dark couverture.*
The flowers: [A, B, C, D, E] *flat cut* the petals on the silkscreening film.*
Put a dark couverture drop in the middle of a 6 cm (2.4 in) pastry cutter.
Put five petals on this point of couverture and leave to crystallise.
For the stems: make the rolled mikados at an angle. Add them to the centre of the flower.*
The leaves: *on the silkscreening film, cut some circles using the same technique as for the flowers.*

NOTES
Les astérisques renvoient aux techniques de base, chapitre précédent.
The asterisks call the basic techniques, preceding chapter.

ASSEMBLAGE
Collez le feuillage en donnant un mouvement sur le côté droit de la pièce.
Pour l'équilibre de la pièce, le nombre de fleurs doit être impair.
Pour plus de légèreté, insérez les flammèches dans le feuillage.
Stick on the leaves by creating a movement towards the right hand side of the piece.
For the piece to be stable, there should be an odd number of flowers.
To make it lighter, place the flakes in among the leaves.

A

B

C

Nos conseils

OUR ADVICE

N'hésitez pas à consolider les pistils à différents endroits avec de la couverture noire.
Par mesure d'hygiène, munissez-vous d'un gant pour la mise en couleur des cabosses.

Do not hesitate to strengthen the stems in different places by adding dark couverture.
in compliance with hygiene rules, Make sure you wear a glove when applying colour to the pods.

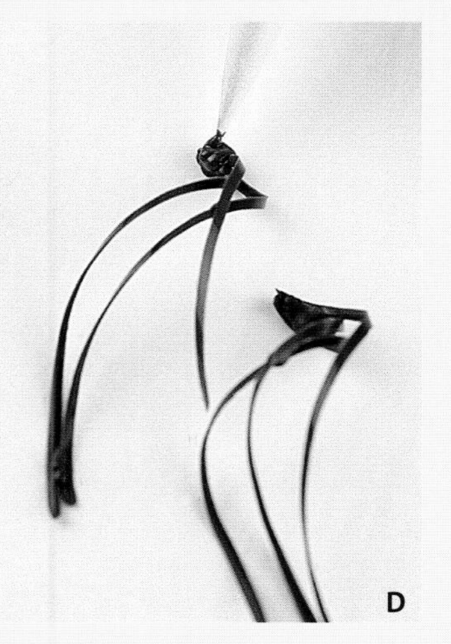

D

E

ASTROLABE

ASTROLAB

Astrolabe ASTROLAB

COMPOSITION - *TAILLE DE LA PIÈCE : 75 X 40 CM - 30 X 16 IN*
- Le socle *The base*
- Les demi-lunes *The half moons*
- Les axes *The axes*
- Les disques mats et brillants *The mat and shiny disks*
- Les sphères *The spheres*

USTENSILES
- Trois cercles à pâtisserie de différents diamètres
Three pastry rings of different diameters
- Une feuille plastique texturée *A textured plastic sheet*
- Du ruban adhésif *Adhesive tape*
- Du film alimentaire étirable *Cling film*
- Un film plastique *A plastic sheet*
- Une plaque stratifiée *A stratified board*
- Des emporte-pièces de différents diamètres
Pastry cutters of different diameters
- Un moule demi-sphère en polycarbonate de 12,5 cm
A 5 in half-sphere polycarbonate mould

INGRÉDIENTS
- Couverture noire 58 % de cacao *FAVORITES MI-AMÈRES*
Dark couverture 58% cocoa
- Couverture lactée 36 % de cacao *AMBRE JAVA*
Milk couverture 36% de cocoa
- Couverture extra-fluide *BARRY GLACE FONDANT*
Extra-fluid couverture

Le socle : coulez à l'intérieur d'un cercle à pâtisserie de la couverture noire tempérée. Ôtez le cercle lorsque la couverture est cristallisée.
Les demi-lunes : [A, B] utilisez deux cercles à pâtisseries de diamètres différents. Coulez de la couverture noire tempérée entre ces cercles afin de former les demi-lunes.
Les axes* : [C, D] roulez une feuille de plastique texturée en forme de tube. Maintenez-le dans cette position avec du ruban adhésif. Fermez une des extrémités avec du film étirable. Coulez de la couverture noire tempérée à l'intérieur du tube. Laissez cristalliser puis démoulez. Réitérez la même opération pour obtenir un deuxième axe.
Les disques : [E, F, G] appliquez le film plastique sur la plaque stratifiée. Striez le film avec du ruban adhésif. Coulez sur l'ensemble du film une fine couche de couverture noire tempérée. Laissez cristalliser et détaillez à plat* quelques disques à l'aide d'emporte-pièces de différents diamètres. À l'emplacement de l'adhésif, les disques sont mats. Lorsqu'ils ont cristallisé directement sur le film, ils sont brillants.
Les sphères emballées : [H, I, J] étalez de la couverture noire tempérée sur du film étirable. Moulez une sphère de 12,5 cm de diamètre en couverture marbrée* de chocolat lait et blanc. Posez cette sphère au centre du film. Remontez le film le long de la sphère. Laissez cristalliser puis retirez le film.
The base: *pour the dark couverture into the pastry ring. Remove the ring once the chocolate has crystallised.*
The half moons: [A, B] *use two pastry rings of different diameters. Pour some dark couverture in between the rings, to form the half moons.*
The axes*: [C, D] *roll a textured plastic sheet into the form of a tube. Keep it in this position with the adhesive tape. Close one of the ends with the cling film. Pour tempered dark couverture into the tube. Leave to crystallise and turn out. Carry out the same process to obtain a second axis.*
The disks: [E, F, G] *lay the plastic sheet on the stratified board. Score the sheet with some adhesive tape. Pour a thin layer of tempered dark chocolate over the whole sheet. Leave to crystallise and flat cut* a few disks with pastry cutters of different diameters. Where the adhesive is placed, the disks are matt. Where they've crystallised directly on the film, they have a shiny effect.*
The packed spheres: [H, I, J] *spread some tempered dark couverture over some cling film. Mould a 12.5 cm (5 in) diameter*

NOTES
Les astérisques renvoient aux techniques de base, chapitre précédent.
The asterisks call the basic techniques, preceding chapter.

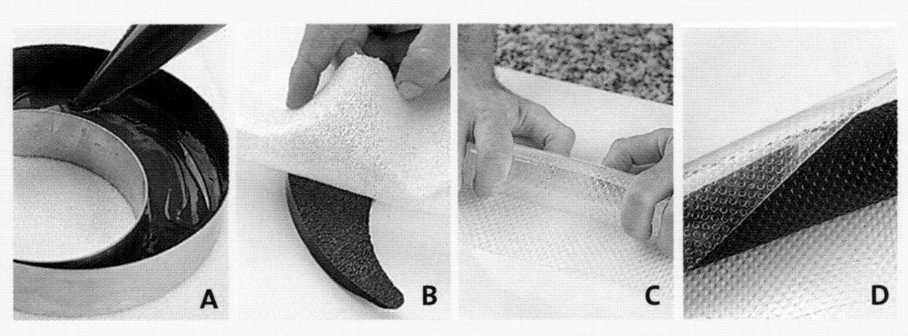

sphere in white and dark chocolate marbled couverture. Put this sphere in the middle of the film. Fit the film along the length of the sphere. Leave to crystallise and remove the film.*

Assemblage

Collez les deux axes sur le socle et solidarisez-les en plaçant un axe plus petit à mi-hauteur. Fixez les demi-lunes, les sphères emballées et les disques mats et brillants. *Stick the two axes on the base and strengthen them by putting a smaller axis half way up. Attach the half moons, the packed spheres and the matt and shiny disks.*

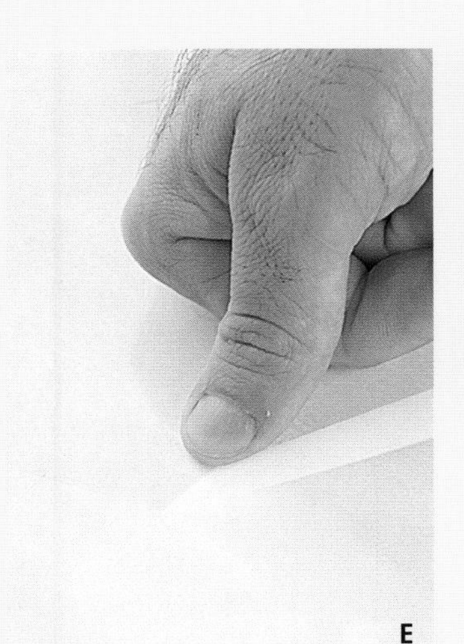

Nos conseils

OUR ADVICE

Montez les éléments en insistant sur le contraste des textures et des teintes.
When you assemble the elements, stress on the contrast between textures and shades.

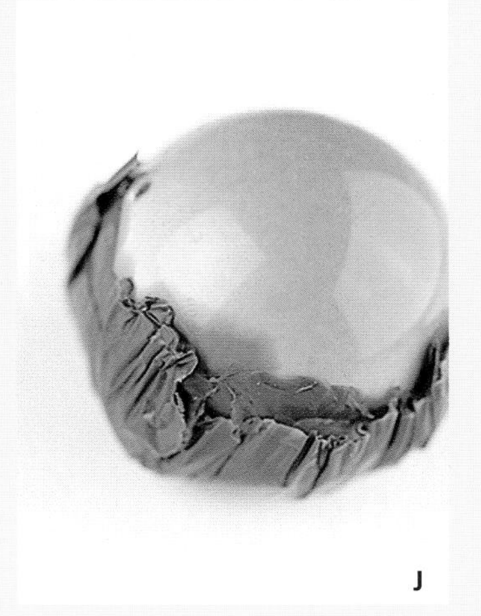

CUBISME

CUBISME

CUBISM

Cubisme

CUBISM

COMPOSITION - *TAILLE DE LA PIÈCE : 100 X 40 CM - 40 X 16 IN*

- Le socle *The base*
- L'axe central *The central axis*
- Les carrés *The squares*
- Les branches *The branches*
- Les fleurs *The flowers*

USTENSILES

- Un cercle à pâtisserie *A pastry ring*
- Un film plastique *A plastic sheet*
- Une planche *A board*
- Plusieurs branches fines, sèches et souples *Several thin, dry, flexible branches*
- Un moule demi-sphère en polycarbonate de 7 cm *A 2.8 in polycarbonate half-sphere mould*

INGRÉDIENTS

- Couverture noire 55 % de cacao *EXCELLENCE* *Dark couverture 55% cocoa*
- Couverture extra-fluide *BARRY GLACE FONDANT* *Extra-fluid couverture*
- Beurre de cacao *Cocoa butter*
- Colorants lyposolubles rouge et jaune *Red and yellow liposoluble colourings*
- Chocolat blanc *BLANC SATIN* *White chocolate*
- Chocolat de laboratoire *FORCE NOIRE* *Cooking chocolate*
- Poudre de cacao *Cocoa powder*

Le socle : coulez à l'intérieur d'un cercle à pâtisserie de la couverture noire. Ôtez le cercle lorsque le chocolat est cristallisé. Réalisez l'axe* central.
Les carrés : [A, B, C] appliquez un film plastique sur une planche.
Utilisez de fines branches sèches comme pochoirs.
Pulvérisez tour à tour de la couverture extra-fluide et du beurre de cacao coloré. Laissez cristalliser.
Recouvrez d'une couche de chocolat blanc tempéré de 0,5 cm d'épaisseur.
Détaillez à plat* des carrés de différentes tailles puis laissez cristalliser.
Les branches : pochez du chocolat de laboratoire tempéré directement dans de la poudre de cacao.
Les fleurs : [D, E, F] moulez des boules de chocolat à l'aide d'un moule demi-sphère de 7 cm.
Appliquez du chocolat noir tempéré à l'aide d'une palette sur une plaque de marbre congelé.
Décollez immédiatement les pétales obtenus et appliquez-les sur les sphères.

The base: *pour the dark couverture into the pastry ring. Remove the ring once the chocolate has crystallised.*
Make the central axis.*
The squares: [A, B, C] *lay a plastic sheet on a board.*
Use the dry fine branches as a template.
Individually spray the chocolate and coloured cocoa butter. Leave to crystallise.
Cover with a layer of tempered white chocolate, 0.5 cm (0.2 in) thick.
Flat cut different sized squares and leave to crystallise.*
The branches: *pipe some cooking chocolate directly into the cocoa powder.*
The flowers: [D, E, F] *mould some chocolate balls with a 7 cm (2.8 in) half-sphere mould.*
Place some tempered dark chocolate on a frozen marble slab with a pallet knife.
Immediately remove the resulting petals and attach them to the balls.

NOTES

Les astérisques renvoient aux techniques de base, chapitre précédent.
The asterisks call the basic techniques, preceding chapter.

Assemblage

Montez l'axe central sur le socle. Ajustez les carrés le long de celui-ci. Disposez les éléments décoratifs (fleurs et branches en chocolat) sur la structure.

Mount the central axis onto the base. Fix the squares along the axis. Place the decorative components (flowers and chocolate branches) on the structure.

Nos conseils our advice

La tenue des pétales sera nettement meilleure si vous rayez le brillant de la sphère à l'endroit du collage. Donnez du mouvement aux pétales pour donner un aspect plus naturel aux fleurs. Lors de l'assemblage, placez les carrés les plus grands au bas de la pièce et les plus petits sur le haut de l'axe.

The petals will hold a lot better if you scratch the shiny ball at the point you want to stick. Arrange the petals in such a way as to make the flowers appear more natural. When you put it together, place the bigger squares at the bottom of the piece and the smaller ones at the top of the axis.

LE PRÉSENTOIR

THE SHOWCASE

Le présentoir THE SHOWCASE

COMPOSITION - *TAILLE DE LA PIÈCE : 75 X 40 CM - 30 X 15,8 IN*
- Le socle *The base*
- Support des bonbons *The stand for the sweets*
- L'axe *The axis*
- Les cabosses *The pods*
- Les deux plaques avec incrustations de tablettes et demi-sphère
The two slabs with the half-sphere and rectangle inlays
- L'incrustation de feuilles *The leaves inlay.*
- Les flammèches *The flakes*
- Les feuilles d'or *The gold leaves*

USTENSILES
- Deux cercles à pâtisserie *Two pastry rings*
- Du film plastique *Plastic sheets*
- Un moule en polycarbonate à bords plissés (support des bonbons) *One polycarbonate mould with creased sides (for the stand)*
- Moules en polycarbonate (feuilles, cabosses et tablettes)
Polycarbonate moulds (leaves, pods and rectangles)
- Deux plaques stratifiées *Two stratified boards*
- Un moule demi-sphère en polycarbonate de 12,5 cm
A 12.5 cm (5 in) polycarbonate half-sphere mould

INGRÉDIENTS
- Couverture noire 55 % de cacao *EXCELLENCE*
Dark couverture 55% cocoa
- Appareil à gélatine *Gelatine mixture*
- Couverture lactée 36 % de cacao *AMBRE JAVA*
Milk couverture 36% cocoa
- Couverture extra-fluide *BARRY GLACE FONDANT*
Extra-fluid couverture

Le socle : coulez dans un cercle à pâtisserie de la couverture noire. Enlevez le cercle lorsque le chocolat est cristallisé.
Support des bonbons : [A, B, C, D, E, F, G] coulez l'appareil à gélatine à 40 °C dans le moule en polycarbonate. Laissez durcir la gélatine au réfrigérateur. Démoulez. Collez les formes plissées autour d'un cercle à patisserie en ayant pris soin de les avoir coupées par le milieu. Coulez alors la couverture lactée tempérée dans le cercle et laissez cristalliser. Démoulez et retirez les formes gélatines. Réalisez un axe*. Moulez les bonbons en forme de petite cabosse en couverture lactée.
Les deux plaques : [J, K] coulez de l'appareil à gélatine dans les différents moules. Placez au réfrigérateur et laissez durcir. Démoulez. Collez les formes en gélatine sur deux plaques différentes recouvertes d'un film plastique. Collez sur l'une d'elles la gélatine en forme de tablette et sur l'autre la demi-sphère. Bordez les deux plaques avec des règles de 4 cm de hauteur. Coulez alors de la couverture noire sur les formes gélatines, laissez cristalliser et démoulez.
L'incrustation de feuilles : [H, I] coulez de l'appareil à gélatine dans le moule. Placez au refrigérateur et laissez durcir. Démoulez puis collez les feuilles en gélatine sur une plaque recouverte d'un film plastique. Bordez la plaque avec des règles de 4 cm de hauteur. Coulez alors de la couverture lactée sur les formes en gélatine, laissez cristalliser et démoulez. Réalisez les flammèches* en couverture noire. Réalisez quelques éclats en feuille d'or.
The base: *pour dark couverture in a pastry ring. Remove the ring once the chocolate is crystallised.*
The stand for the sweets: [A, B, C, D, E, F, G] *pour the 40 °C (104 °F) gelatine mixture in the polycarbonate mould. Leave the mixture to harden in the fridge. Turn out. Cut the creased shapes along the middle line and stick them all around a pastry ring. You can then pour the tempered milk couverture in the ring. Leave to crystallize. Turn out and remove the gelatine shapes. Make an axis*. Mould the sweets in the shape of a small pod with milk couverture.*
The two slabs: [J, K] *pour gelatine mixture in the different moulds. Leave to harden in the fridge. Turn out. Stick the gelatine shapes on two different boards previously covered with plastic sheets. Stick the rectangle-shaped gelatine on one of*

NOTES
Les astérisques renvoient aux techniques de base, chapitre précédent.
The asterisks call the basic techniques, preceding chapter.

them, and the half-sphere-shaped gelatine on the other. Use 4 cm (1.5 in) high rulers to edge both trays. Finally, pour dark couverture over the gelatine shapes, leave to crystallize and turn out.
The leaves inlay: [H, I] *pour gelatine mixture in the mould. Leave to harden in the fridge. Turn out and stick the gelatine leaves on a board covered with a plastic sheet. Use 4 cm (1.5 in) high rulers to edge the board. Finally, pour milk couverture over the gelatine shapes, leave to crystallize and turn out. Make the flakes* with dark couverture. Make a few sparks with gold leaf.*

Assemblage

Coller le support à bonbons. Collez les deux plaques rectangulaires en renforçant à l'aide d'un axe en chocolat pour la partie la plus haute. Pulvérisez ensuite de la couverture extra-fluide tempérée en laissant des dégradés sur les parties en couverture lactée (le support des bonbons et les feuilles). Collez alors les flammèches et les bonbons en forme de petite cabosse. Disposez quelques éclats de feuille d'or. La pièce est alors prête à recevoir des bonbons en chocolat en présentation.

Stick the sweets stand. Stick the two slabs by using a chocolate axis to strengthen the higher part. Spray tempered extra-fluid couverture unevenly to let shades appear on the milk couverture areas (the sweets stand and the leaves). Then, stick the sparks and the small pod-shaped sweets. Arrange a few gold leaf chips. The piece is now ready to be the showcase for chocolate sweets.

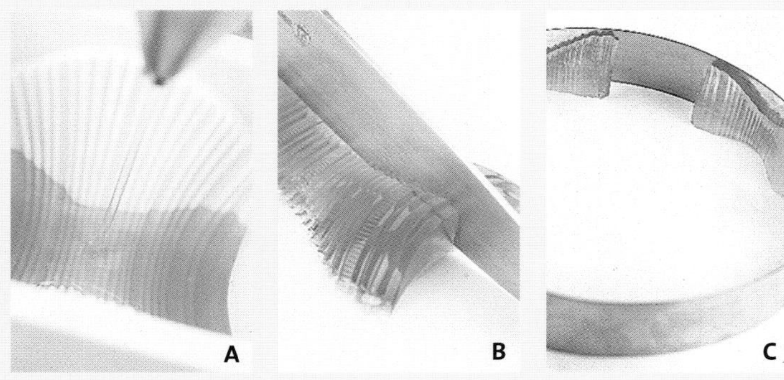

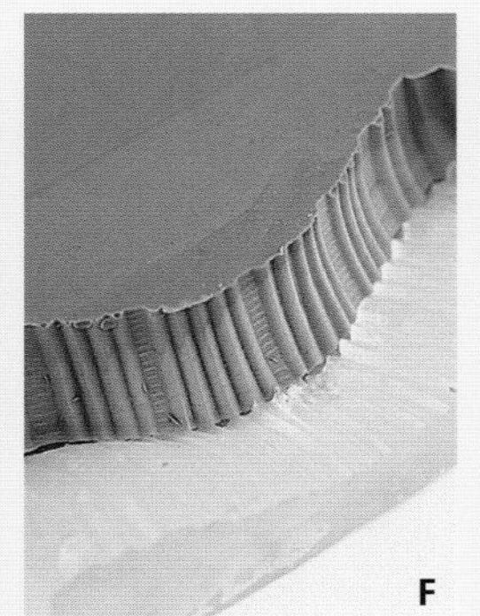

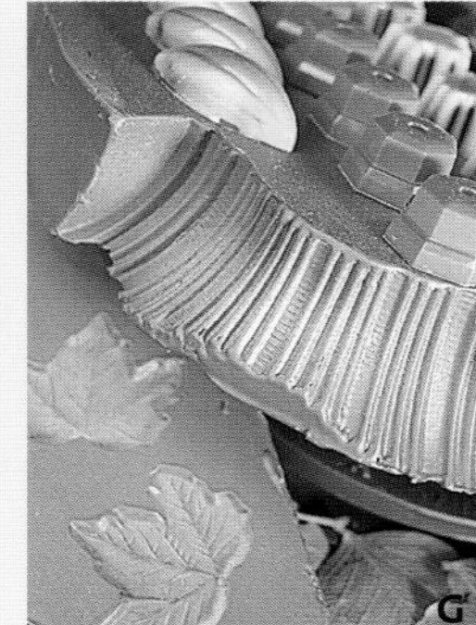

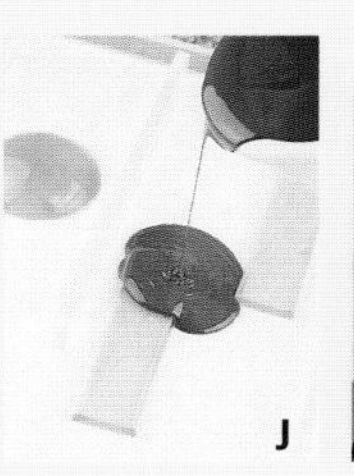

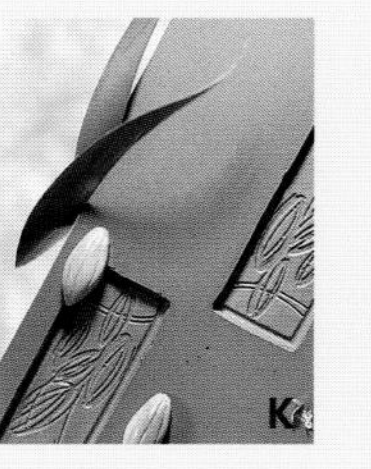

Nos conseils

OUR ADVICE

Pour surélever la pièce vous pouvez confectionner des disques en couverture noire de tailles différentes. Pour coller les formes en gélatine sur le film plastique, chauffez la partie plate sur une plaque chaude. Vous pouvez utiliser les formes en gélatine plusieurs fois. Stockez-les au congélateur.

To raise the piece, you can use dark couverture disks of various shapes. To stick the gelatine shapes on the plastic sheet, warm their flat side over a heated tray. You can use the gelatine shapes more than once: store them in the freezer.

Les œufs

EGGS

variation sur les moules en gélatine

VARIATION ON GÉLATINE FORMS

Les pièces suivantes sont confectionnées avec des inclusions en gélatine. La nature de la gélatine permet de fabriquer des formes à partir de n'importe quel objet choisi au gré de votre imagination. Grâce à la gélatine, l'étendue des créations obtenues est illimitée.
La confection d'œufs nous donne ici l'occasion de mettre en scène un certain nombre d'idées et, par là, de renouveler la tradition. Toutefois, le champ d'application de cette technique est très large. À vous d'en explorer toutes les possibilités.

The following pieces are made from a gelatine mould base. The nature of gelatine allows us to make a mould from any object, chosen according to the desires of your imagination. Thanks to this, the number of different mould shapes is unlimited.
The Eastern traditional theme gives us the opportunity to put together a number of ideas, and thus to revive our view of tradition. Still, the field of development for this technique is vast. It is up to you to explore all the possibilities.

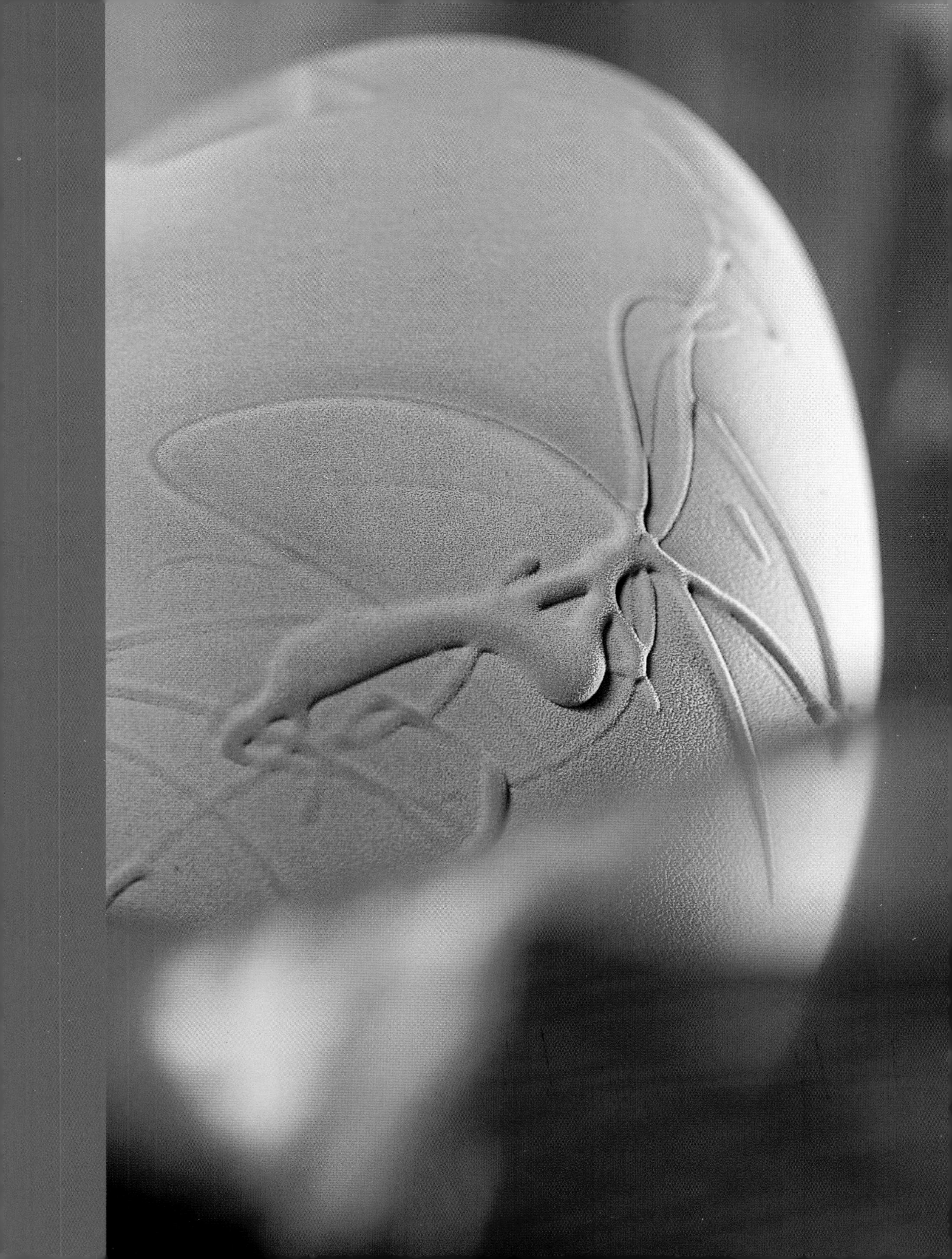

Appareil à moule en gélatine

Gelatine mixture

Ingrédients

- 1000 g de gélatine en feuilles *35 oz gelatine sheets*
- 1500 g d'eau *52 oz water*
- 1250 g de sucre semoule *44 oz caster sugar*
- 300 g de sirop de glucose *10 oz glucose syrup*

Hydratez la gélatine dans un récipient d'eau froide.
Portez à ébullition l'eau, le sucre et le glucose.
Versez cette préparation sur la gélatine égouttée.
Bien mélanger et écumez.
Place the gelatine in a container of cold water.
Bring the water, sugar and glucose to the boil.
Pour this mixture over the drained gelatine.
Mix well and skim.

A

B

C

L'incrustation GEOMETRIC INCRUST

COMPOSITION - *TAILLE DE LA PIÈCE : 25 X 20 CM - 10 X 8 IN*

- Le socle *The base*
- La forme pyramidale en gélatine *The pyramid gelatine form*
- L'œuf *The egg*
- La balle de golf *The golf ball*

USTENSILES

- Un cercle à pâtisserie *A pastry ring*
- Du ruban adhésif *Adhesive tape*
- Un carton à entremets rectangulaire *A rectangle of card for entremets*
- Une plaque à pâtisserie *A baking tray*
- Un moule à œuf en polycarbonate de 20 cm *A 8 in polycarbonate egg mould*
- Un moule en polycarbonate (balle de golf) *A polycarbonate mould (golf ball)*

INGRÉDIENTS

- Couverture noire 58 % de cacao *FAVORITES MI-AMÈRE* *Dark couverture 58% cocoa*
- Appareil à moule en gélatine *Gelatine mould mixture*
- Couverture extra-fluide *BARRY GLACE FONDANT* *Extra-fluid couverture*
- Chocolat blanc *BLANC SATIN* *White chocolate*

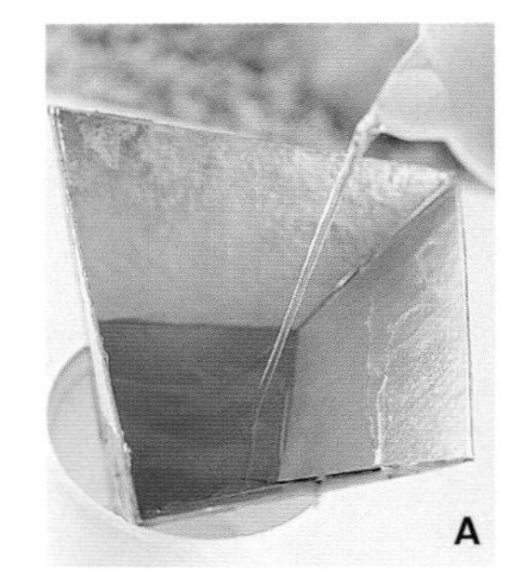

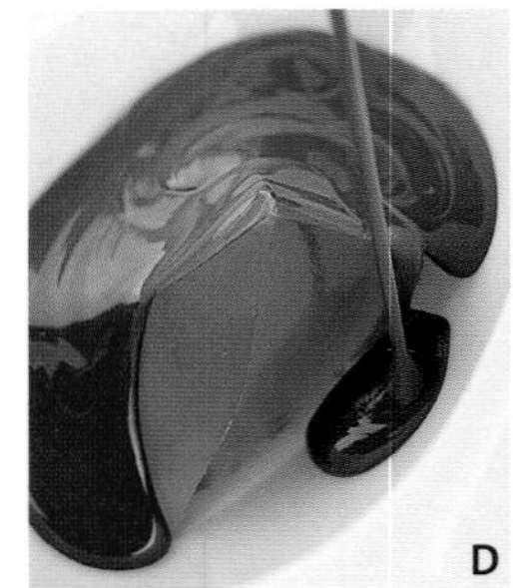

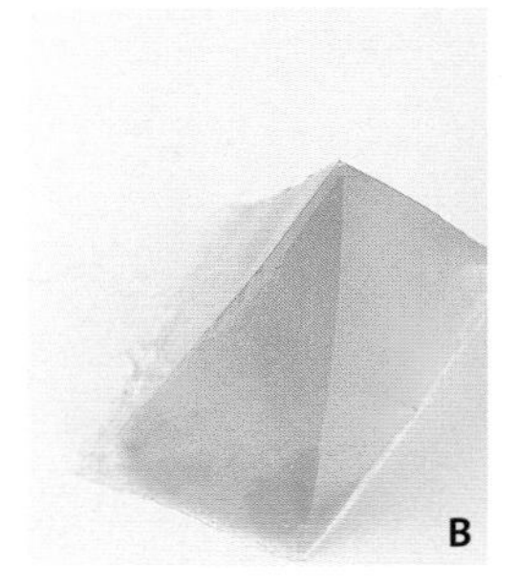

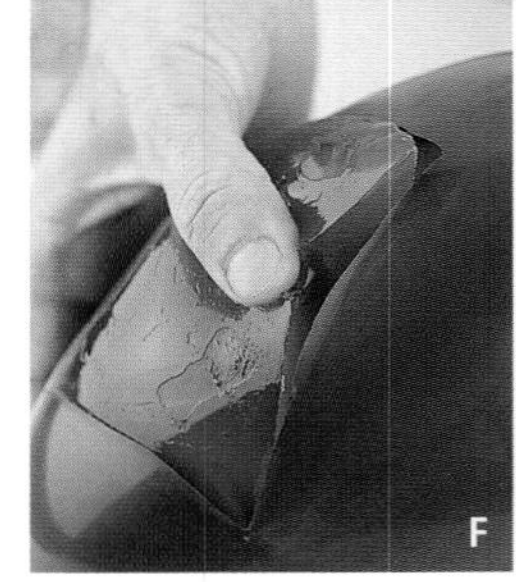

Le socle : coulez à l'intérieur d'un cercle à pâtisserie de la couverture noire. Ôtez le cercle lorsque le chocolat est cristallisé. Détaillez à plat* des carrés en couverture noire de dimension inférieure au socle. Lorsqu'ils sont cristallisés, superposez-les en les collant avec de la couverture noire tempérée. Collez les carrés sur le socle.

La forme pyramidale : [A] formez un moule pyramidale en assemblant quatre triangles en carton avec du ruban adhésif. Coulez l'appareil gélatine à une température de 40 °C. Laissez durcir à 5 °C. Démoulez la forme obtenue et ramollissez la partie plate sur une plaque chaude.

L'œuf : [B, C, D, E, F] appliquez la pyramide sur le fond du moule à œuf. Moulez alors la couverture noire comme un moulage traditionnel. Après cristallisation démoulez l'œuf. La gélatine se démoule en même temps que le sujet. Retirez la gélatine avec les doigts. Pulvérisez avec de la couverture extra-fluide tempérée.

La balle de golf : coulez du chocolat blanc dans le moule en polycarbonate. Laissez cristalliser et démoulez.

The base: *pour the dark couverture into the pastry ring. Remove the ring once the chocolate has crystallised.*

Flat cut some dark chocolate squares, smaller than the base. Once they have crystallised, stick them together with tempered dark couverture. Stick the squares to the base.*

The pyramid form: [A] *make a pyramid mould by assembling four card triangles with adhesive tape. Pour in the gelatine mould mixture at 40 °C (104 °F). Leave to harden at 5 °C (41 °F). Turn out the resulting shape and roll the flat section on a hot tray.*

The egg: [B, C, D, E, F] *put the pyramid on the bottom of an egg mould. Then mould some dark couverture in the traditional moulding fashion.*

After crystallisation, turn out the egg. The gelatine is turned out at the same time as the piece. Using your fingers, peel off the gelatine.

Spray with extra-fluid tempered couverture.

The golf ball: *pour some white chocolate in the polycarbonate mould. Leave to crystallise and turn out.*

NOTES

Les astérisques renvoient aux techniques de base, chapitre précédent.

The asterisks call the basic techniques, preceding chapter.

ASSEMBLAGE DE LA PIÈCE

Fixez l'œuf sur le socle. Coller la balle de golf en chocolat blanc à l'entrée de la forme pyramidale.

Fix the egg onto the base. Stick the white chocolate golf ball at the entrance of the pyramid form.

Fragments

BITS AND PIECES

COMPOSITION - *TAILLE DE LA PIÈCE : 25 X 25 CM - 10 X 10 IN*
- Le socle *The base*
- Le motif en gélatine *The gelatine pattern*
- L'œuf *The egg*
- La sphère *The sphere*

USTENSILES
- Un moule thermoformé (socle) *A thermoformed mould (base)*
- Une feuille de plastique texturée (1 cm d'épaisseur) *A textured plastic sheet (0.4 in thick)*
- Un emporte-pièce de 5 cm *A 2 in pastry cutter*
- Un moule à œuf en polycarbonate de 20 cm *A 8 in polycarbonate egg mould*
- Un moule demi-sphère de 3 cm *A half -sphere mould*

INGRÉDIENTS
- Couverture noire 58 % de cacao *FAVORITES MI-AMÈRE* *Dark couverture 58% cocoa*
- Appareil à moule en gélatine *Gelatine mould mixture*
- Couverture lactée 36 % de cacao *AMBRE JAVA* *Milk couverture 36% cocoa*
- Couverture extra-fluide *BARRY GLACE FONDANT* *Extra-fluid couverture*

Le socle : coulez à l'intérieur d'un moule thermoformé de la couverture noire. Démoulez lorsque le chocolat est cristallisé.
Le motif en gélatine : coulez à 40 °C l'appareil à gélatine sur la feuille de plastique texturée. Lorsque la gélatine a durci, prélevez un disque avec un emporte-pièce de 5 cm.
L'œuf : appliquez le disque de gélatine au fond du moule en mettant la face imprimée face à vous. Ramollie, la gélatine permet une adhésion facile et épouse correctement la forme du moule.
Garnissez un cornet avec de l'appareil à gélatine liquide à 40 °C et faites couler de la gélatine à l'intérieur du moule d'une manière irrégulière. Coulez alors de la couverture noire dans le moule. Laissez cristalliser.
Après cristallisation, démoulez l'œuf. La gélatine se démoule en même temps que le sujet. Retirez la gélatine avec les doigts.
La sphère : coulez de la couverture lactée dans le moule demi-sphère. Laissez cristalliser et démoulez.
The base: *pour the dark couverture into the thermoformed mould. Turn out once the chocolate has crystallised.*
The gelatine motif: *pour the gelatine mixture at 40 °C (104 °F) onto the textured plastic sheet. Once the gelatine has hardened, remove a circle with a 5 cm (2 in) pastry cutter.*
The egg: *put the gelatine circle at the bottom of the mould, with the printed side face up. When softened, the gelatine sticks easily and adopts the shape of the mould.*
Fill a cone with some gelatine mixture at 40 °C (104 °F) and pour the gelatine into the mould in an irregular fashion. Then pour some dark couverture into the mould. Leave to crystallise. After crystallisation, turn out the egg. The gelatine is turned out at the same time as the piece. Using your fingers, peel off the gelatine.
The sphere: *pour some milk couverture into the half-sphere mould. Leave to crystallise and turn out.*

ASSEMBLAGE
Coller l'œuf sur le socle avec de la couverture noire tempérée.
Pulvérisez avec de la couverture extra-fluide tempérée.
Collez la sphère sur l'œuf.
Stick the egg onto the base with the tempered dark couverture.
Spray with extra-fluide tempered couverture.*
Stick the sphere onto the egg.

Calligraphie CALLIGRAPHY

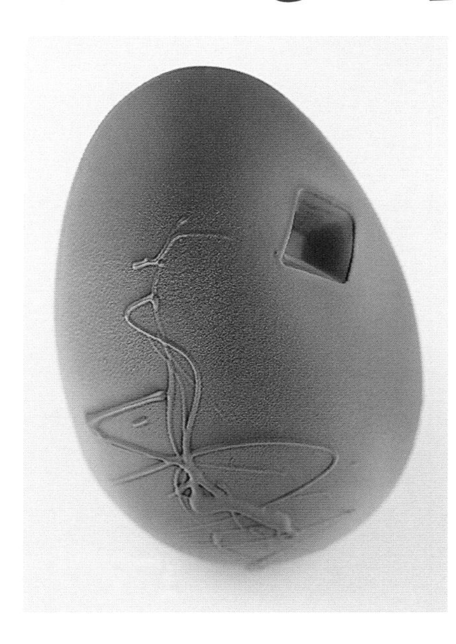

COMPOSITION - *TAILLE DE LA PIÈCE : 25 X 20 CM - 10 X 8 IN*
- Le socle *The base*
- La forme pyramidale *The pyramid form*
- L'œuf *The egg*
- Décor calligraphié *Calligraphy decoration*

USTENSILES
- Un cercle à pâtisserie *A pastry ring*
- Un moule à petits fours (pyramide) *A petits fours mould (pyramid)*
- Une plaque à pâtisserie *A baking tray*
- Un moule à œuf en polycarbonate de 20 cm
A 8 in polycarbonate egg mould

INGRÉDIENTS
- Couverture noire 58 % de cacao FAVORITES MI-AMÈRE
Dark couverture 58% cocoa
- Appareil à moule en gélatine *Gelatine mixture*
- Couverture extra-fluide BARRY GLACE FONDANT
Extra-fluid couverture
- Beurre de cacao *Cocoa butter*
- Colorant liposoluble rouge *Red liposoluble colouring*

Le socle : coulez à l'intérieur d'un cercle à pâtisserie de la couverture noire. Ôtez le cercle lorsque le chocolat est cristallisé.
La forme pyramidale : coulez l'appareil à gélatine à une température de 40 °C dans le moule à petits fours. Laissez durcir à 5 °C. Démoulez la forme obtenue et ramollissez la partie plate sur une plaque chaude.
L'œuf : appliquez la pyramide sur le fond du moule à œuf. La gélatine ramollie épouse la forme du moule et permet une parfaite adhérence. Coulez alors la couverture noire.
Après cristallisation démoulez l'œuf. La gélatine se démoule en même temps que le sujet. Retirez la gélatine avec les doigts.
Le décor calligraphié : appliquez sur l'œuf de la couverture noire tempérée à l'aide d'un cornet.
The base: *pour the dark couverture into the pastry ring. Remove the ring once the chocolate has crystallised.*
The pyramid form: *pour the gelatine mixture at 40 °C (104 °F) into the petits fours moulds. Leave to harden at 5 °C (41 °F). Turn out the resulting shape and roll the flat section on a heated tray.*
The egg: *put the pyramid on the bottom of an egg mould. The softened gelatine fits the shape of the mould and sticks easily. Then pour in the dark couverture.*
After crystallisation, turn out the egg. The gelatine is turned out at the same time as the piece. Using your fingers, peel off the gelatine.
The calligraphy decoration: *apply some tempered dark couverture to the egg with a cone.*

ASSEMBLAGE
Collez l'œuf sur le socle avec de la couverture noire tempérée. Pulvérisez de la couverture extra-fluide tempérée puis mettez la pièce en surgélation pendant 5 minutes Pulvérisez alors du beurre de cacao coloré rouge.
Stick the egg onto the base with tempered dark couverture. Spray tempered extra-fluid couverture and then freeze the piece for 5 minutes Next spray with red-coloured cocoa butter.

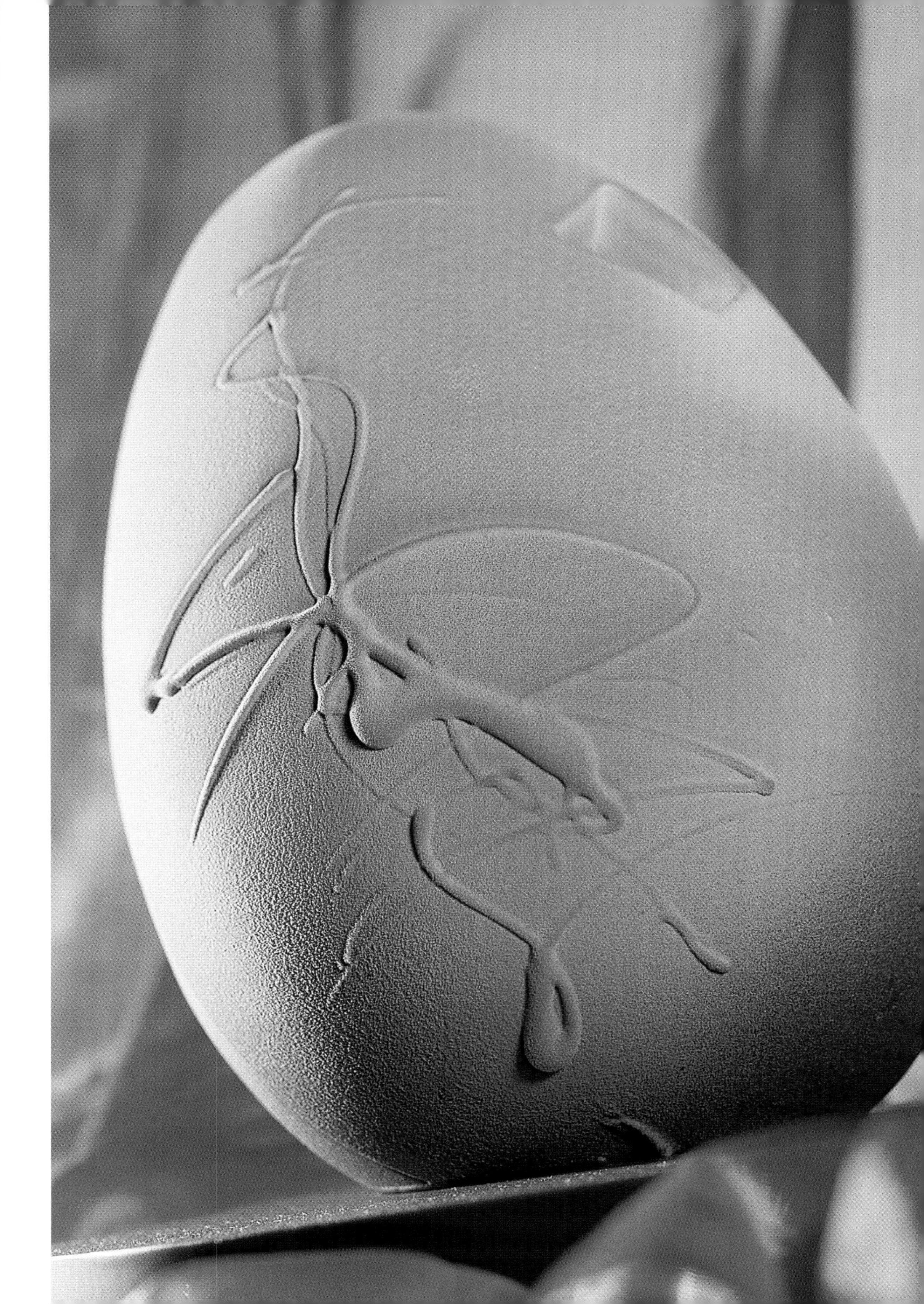

Le nid gourmand

THE GOURMET'S NEST

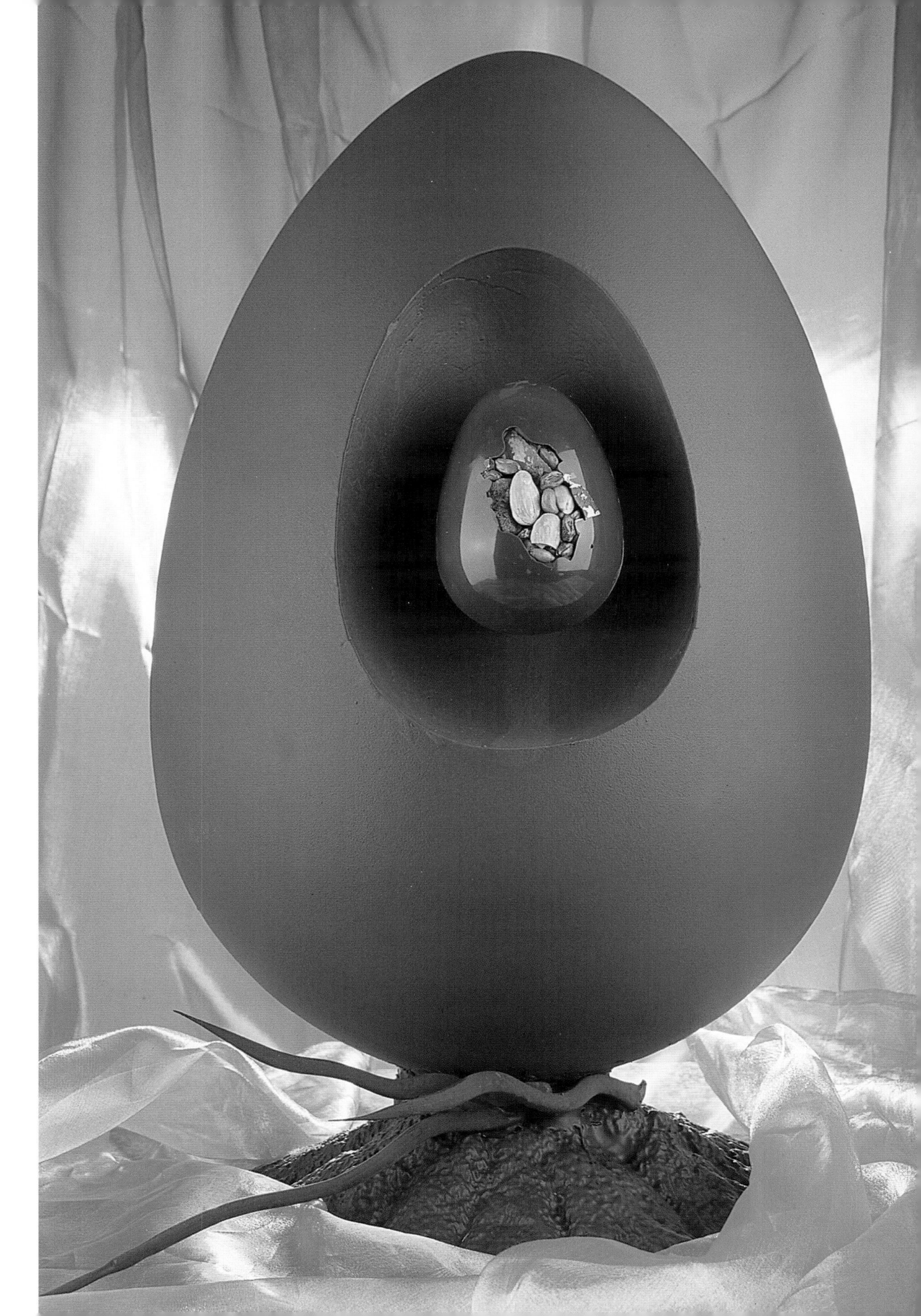

Le nid gourmand THE GOURMET'S NEST

COMPOSITION - *TAILLE DE LA PIÈCE : 70 X 35 CM - 28 X 14 IN*
- Le socle *The base*
- L'œuf de 70 cm *The 28 in egg*
- L'œuf de 15 cm *The 6 in egg*
- Les branches en chocolat *The chocolate twigs*

USTENSILES
- Un moule conique thermoformé *A thermoformed conical mould*
- Trois moules à œuf en polycarbonate de 70 ; 20 et 15 cm *Three polycarbonate egg moulds of 28; 8 and 6 in*
- Une plaque à pâtisserie *A baking tray*
- Une poche munie d'une douille de 8 mm *A piping bag equipped with a 0.3 nozzle*
- Un emporte-pièce *A pastry cutter*

INGRÉDIENTS
- Couverture noire 58 % de cacao *FAVORITES MI-AMÈRE* *Dark couverture 58% cocoa*
- Appareil à moule en gélatine *Gelatine mould mixture*
- Couverture lactée 36 % de cacao *AMBRE JAVA* *Milk couverture 36% cocoa*
- Fruits secs (amandes, pistaches, raisins secs, écorces d'oranges confites) *Dried fruits (almonds, pistachios, raisins, crystallised orange peel)*
- Couverture extra-fluide *BARRY GLACE FONDANT* *Extra-fluid couverture*
- Chocolat de laboratoire *FORCE NOIRE* *Cooking chocolate*
- Poudre de cacao *Cocoa powder*

Le socle : moulez de la couverture noire dans un moule thermoformé conique. Laissez cristalliser.
L'œuf de 70 cm : remplissez un moule à œuf de 20 cm avec de l'appareil à moule en gélatine. Laissez prendre à 5 °C. Démoulez. Collez cet œuf en gélatine en ramollissant la partie plate de l'œuf sur une plaque à pâtisserie chaude. Collez ensuite l'œuf au centre du moule de 70 cm. Coulez de la couverture lactée dans ce moule. Laissez cristalliser et démoulez l'œuf. Retirez la forme en gélatine. Assemblez les deux parties de l'œuf.
L'œuf de 15 cm : [A, B, C] pulvérisez de la couverture extra-fluide tempérée à l'intérieur du moule à œuf de 15 cm. Délimitez ensuite au cornet l'emplacement des fruits secs avec un cordon de couverture noire tempérée. Placez les fruits secs à l'intérieur du cordon puis fixez-les en les recouvrant à l'aide d'un cornet de couverture noire. Moulez par-dessus selon le procédé classique. Laissez cristalliser, démoulez et assemblez l'œuf.
Les branches en chocolat : [D, E] pochez du chocolat de laboratoire tempéré avec une douille de 8 mm directement dans le cacao en poudre. Laissez cristalliser. Dépoudrez légèrement les branches en chocolat.
The base: *mould some dark couverture in a thermoformed conical mould. Leave to crystallise.*
The 70 cm (28 in) egg: *fill a 20 cm (8 in) egg mould with the gelatine mould mixture. Leave to set at 5 °C (41 °F). Turn out. Stick this gelatine egg by rubbing the flat section of the egg on a hot baking tray. Next stick the egg in the centre of the 70 cm (28 in) mould. Pour some milk couverture into this mould. Leave to crystallise and turn out. Remove the gelatine shape. Put the two parts of the egg together.*
The 15 cm (6 in) egg: [A, B, C] *spray some extra-fluid tempered couverture into the 15 cm (6 in) egg mould. Next define the dried fruit pattern with a tempered dark couverture line from a cone. Place the dried fruits inside the line and attach them by covering them with a dark couverture cone. Mould on top in the traditional fashion. Leave to crystallise, turn out, and put the egg together.*
The chocolate twigs: [D, E] *trace some tempered cooking chocolate with an 8 mm (0.3 in) nozzle directly onto the cocoa powder. Leave to crystallise. Lightly dust the chocolate twigs.*

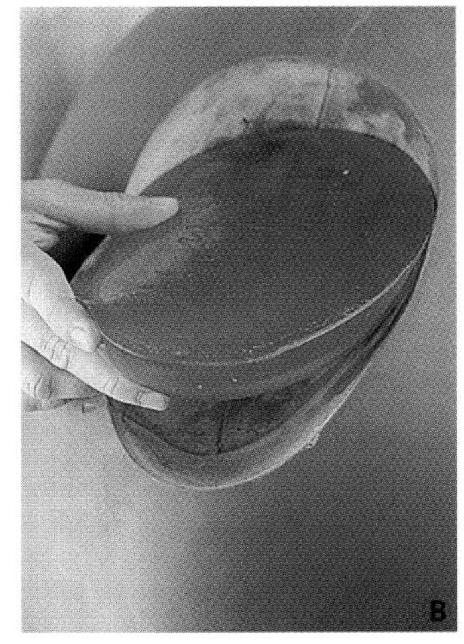

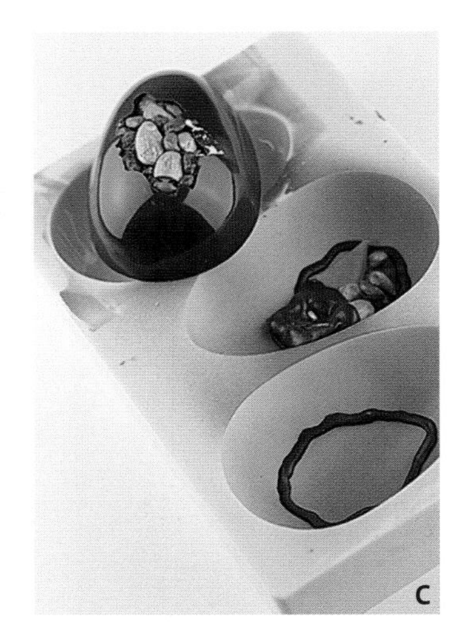

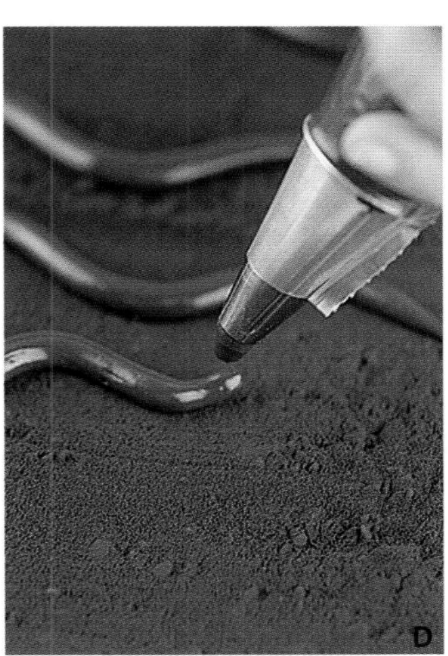

Nos conseils OUR ADVICE

Pour déplacer la pièce sans laisser de traces de doigts, percez avec un emporte-pièce chaud de 5 cm de diamètre l'arrière de l'œuf.
Afin d'obtenir un dégradé à travers la couche de chocolat noir, moulez l'œuf de 70 cm avec de la couverture lactée claire.

To move the piece without leaving fingerprints, pierce the back of the egg with a hot pastry cutter of 5 cm (2 in) in diameter.
To obtain a shaded effect through the dark chocolate layer, mould the 70 cm (28 in) egg in clear milk couverture.

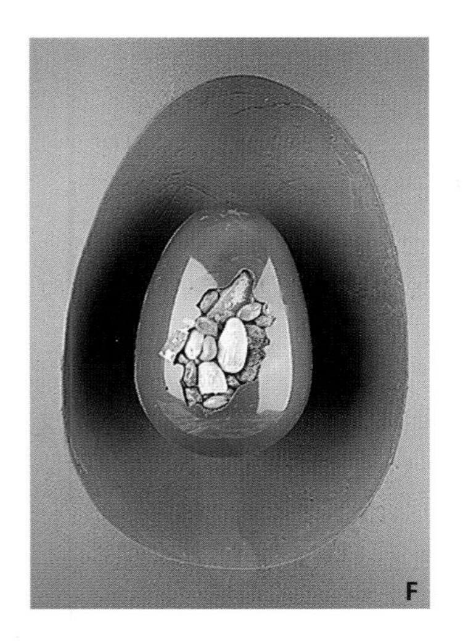

Assemblage

Collez l'œuf de 70 cm sur le socle conique avec une couverture noire tempérée. Pulvérisez avec de la couverture extra-fluide tempérée. Ensuite, collez l'œuf gourmand dans la cavité obtenue grâce à la forme en gélatine. Enfin, collez les branches en chocolat à la base de l'œuf de 70 cm.

Stick the 70 cm (28 in) egg on the conical base with a tempered dark couverture. Spray with extra-fluid tempered couverture. Next, stick the hungry egg in the hole obtained thanks to the gelatine shape. Finally, stick the chocolate twigs at the bottom of the 70 cm (28 in) egg.

Pêche miraculeuse

THE BIG CATCH

Pêche miraculeuse THE BIG CATCH

COMPOSITION - *TAILLE DE LA PIÈCE : 70X 30 CM - 28 X 12 IN*
- Le socle *The base*
- L'œuf *The egg*
- Les moulages variés *Various mouldings*
- Les rectangles de chocolat blanc *The white chocolate rectangles*

USTENSILES
- Un moule à savarin *A savarin mould*
- Un moule à œuf en polycarbonate de 70 cm
A 28 in polycarbonate egg mould
- Des moules en polycarbonate (poissons et autres éléments décoratifs) *Some polycarbonate moulds (fish and other decorative components)*
- Une feuille plastique texturée *A textured plastic sheet*
- Un cutter *A cutter*

INGRÉDIENTS
- Couverture noire 58 % FAVORITES MI-AMÈRE
Dark couverture 58% cocoa
- Couverture extra-fluide BARRY GLACE FONDANT
Extra-fluid couverture
- Beurre de cacao *Cocoa butter*
- Colorant liposoluble rouge *Red liposoluble colouring*
- Chocolat blanc BLANC SATIN *White chocolate*

Le socle : coulez dans un moule à savarin de la couverture noire tempérée. Laissez cristalliser et démoulez.
L'œuf : coulez de la couverture noire tempérée dans le moule à œuf de 70 cm. Laissez cristalliser et démoulez.
Les moulages variés : [A, B, C, D, E] pulvérisez de la couverture extra-fluide tempérée dans les moules en polycarbonate. Moulez partiellement de la couverture noire tempérée. Laissez cristalliser et démoulez.
Les rectangles de chocolat blanc : [F, G] mélangez du beurre de cacao à 40 °C avec du colorant liposoluble rouge. Tablez ce mélange et déposez des gouttes sur une feuille de plastique texturée. Recouvrez la feuille et les gouttes avec une fine couche de chocolat blanc tempéré. Détaillez* des rectangles de différentes tailles.
The base: *pour some tempered dark couverture into a savarin mould. Leave to crystallise and turn out.*
The egg: *pour some dark tempered couverture into the 70 cm (28 in) egg mould. Leave to crystallise and turn out.*
The various mouldings: [A, B, C, D, E] *spray some extra-fluid tempered couverture into the polycarbonate moulds. Partially mould the tempered dark couverture. Leave to crystallise and turn out.*
The white chocolate rectangles: [F, G] *mix some cocoa butter 40 °C (104 °F) with some red liposoluble colouring. Manually temper this mixture and put some drops on a sheet of textured plastic. Cover the sheet and the drops with a thin layer of tempered white chocolate. Cut out* rectangles of different sizes.*

ASSEMBLAGE
Collez l'œuf sur le socle. Pulvérisez avec de la couverture extra-fluide tempérée.
Collez les moulages obtenus au centre de l'œuf.
Insérez les rectangles de chocolat à points rouges, afin de mettre en valeur les moulages.
Stick the egg onto the base. Spray with extra-fluid tempered couverture.
Stick the resulting mouldings onto the centre of the egg.
Insert the red-spotted chocolate rectangles, to emphasise the mouldings.

Nos conseils our advice

Pour que le collage soit plus résistant, hachurez l'œuf et le socle avec un cutter avant de les assembler.

For the sticking point to be more resistant, criss-cross the egg and the base with a cutter before putting them together.

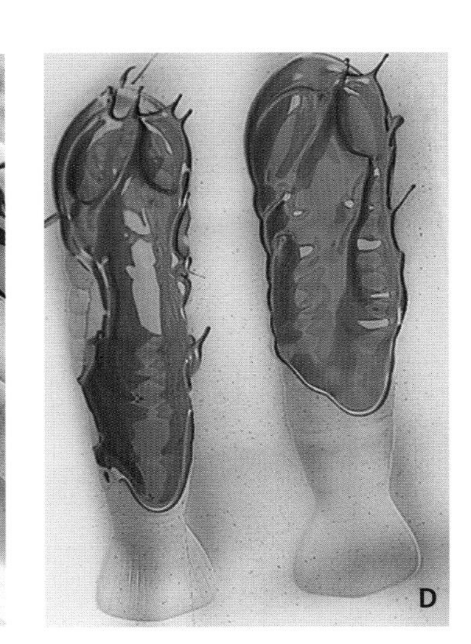

LES DESSERTS

Desserts

Fleur d'amandier

ALMOND TREE FLOWER

RECETTE POUR 24 PETITS GÂTEAUX DE 7 CM DE DIAMÈTRE
RECIPE FOR 24 SMALL CAKES OF 2.8 IN IN DIAMETER

COMPOSITION
Pâte sablée *Shortbread paste*
Biscuit aux amandes *Almond biscuit*
Crème au chocolat blanc et aux amandes
Part-crystallised apricots in Grand-Marnier
Abricots semi-confits au Grand-Marnier
White chocolate and almond cream
Glaçage blanc *White icing*
Imbibage au Grand-Marnier *Soaking of Grand-Marnier*

PÂTE SABLÉE *SHORTBREAD PASTE*

- 500 g de farine *17.6 oz flour*
- 10 g de levure chimique *0.3 oz baking powder*
- 70 g de poudre d'amande *2.5 oz almond powder*
- 120 g d'œufs *4.2 oz eggs*
- 2 gousses de vanille *2 vanilla pods*
- 220 g de sucre glace *7.7 oz icing sugar*
- 3 g de sel *0.1 oz salt*
- 280 g de beurre *10 oz butter*

Mélangez l'ensemble des ingrédients dans la cuve du batteur jusqu'à obtention d'une pâte homogène. *Combine the ingredients in a mixing bowl to make a smooth paste.*

BISCUIT AUX AMANDES *ALMOND BISCUIT*

- 300 g de sucre semoule *10.5 oz caster sugar*
- 150 g de poudre d'amande *5.2 oz almond powder*
- 300 g d'œufs *10.5 oz eggs*
- 360 g de blancs d'œufs *12.5 oz egg whites*
- 170 g de farine *6 oz flour*
- 150 g de praline en grains *5.2 oz ground praline*

Montez ensemble 150 g de sucre, la poudre d'amande et 300 g d'œufs au batteur muni du fouet. Réalisez la même opération avec les blancs d'œufs et le sucre restant. Mélangez les deux appareils et ajoutez la farine tamisée et la praline en grains.
Combine 150 g (5.2 oz) sugar, the almond powder and 300 g (10.5 oz) of eggs with a whip and a whisk. Carry out the same process with the egg whites and the remaining sugar. Combine the two mixtures and add the sifted flower and the ground praline.

CRÈME AU CHOCOLAT BLANC ET AUX AMANDES *WHITE CHOCOLATE AND ALMOND CREAM*

- 350 g de lait entier *12.3 oz whole milk*
- 55 g de sucre *2 oz sugar*
- 110 g de jaune d'œufs *4 oz egg yolks*
- 30 g de poudre à flan *1 oz flan powder*
- 9 g de gélatine en feuilles *0.3 oz gelatine sheets*
- 250 g de chocolat blanc BLANC SATIN *9 oz white chocolate*
- 100 g de pâte d'amande 66% *3.5 oz almond paste, 66% origine*
- 500 g de crème fleurette *17.6 oz whipping cream*

Réalisez une crème pâtissière avec le lait entier, le sucre, les jaunes d'œufs et la poudre à flan. Ajoutez la gélatine préalablement trempée dans l'eau froide. Ajoutez ensuite le chocolat blanc et la pâte d'amande. Mixez l'ensemble. Quand l'appareil est à 30 °C, ajoutez la crème montée mousseuse.
Make a crème pâtissière with the whole milk, the sugar, the egg yolks and the flan powder. Add the gelatine, already dipped in the cold water, the white chocolate and the almond paste. Mix them together. Once the mixture reaches 30 °C (86 °F), add the cream whipped into a mousse.

ABRICOTS SEMI-CONFITS AU GRAND-MARNIER

PART-CRYSTALLISED APRICOTS IN GRAND-MARNIER

- 400 g d'abricots semi-confits *14 oz part-crystallised apricots*
- 70 g de Grand-Marnier *2.5 oz Grand-Marnier*

Chauffez à 40 °C l'ensemble et flambez l'appareil pendant 30 secondes. *Heat the whole at 40 °C (104 °F) and flambé the mixture for 30 seconds.*

GLAÇAGE AU LAIT *MILK ICING*

- 250 g de lait *9 oz milk*
- 100 g de glucose *3.5 oz glucose*
- 8 g de gélatine en feuilles *0.3 oz gelatine sheets*
- 300 g de chocolat blanc BLANC SATIN *10.5 oz white chocolate*
- 300 g de pâte à glacer ivoire *10.5 oz ivory icing paste*

Faites bouillir le lait avec le glucose et ajoutez la gélatine préalablement humidifiée à l'eau froide. Versez le liquide sur le chocolat blanc et la pâte à glacer ivoire fondue à 40 °C. Mélangez et chinoisez. *Boil the milk with the glucose and add the gelatine already dipped in the cold water. Pour the liquid over the white chocolate and the ivory icing paste melted to 40 °C (104 °F). Mix and chinoisez.*

IMBIBAGE GRAND-MARNIER

SOAKING OF GRAND-MARNIER

- 100 g de sirop à 30 °C *3.5 oz syrup at 86 °F*
- 20 g d'eau *0.7 oz water*
- 100 g de Grand-Marnier *3.5 oz Grand-Marnier*

Mélangez ces trois ingrédients et réservez.
Mix the three ingredients and put aside.

MONTAGE ET DÉCORATION
Déposez sur la pâte sablée les composants du gâteau dans l'ordre suivant : le biscuit aux amandes imbibé du mélange au Grand-Marnier, une première couche de crème au chocolat, les abricots semi-confits, une deuxième couche de crème au chocolat et le glaçage blanc. Décorez avec quelques cheveux* en chocolat.
Place the following components of the cake on the shortbread paste: the almond biscuit soaked in the Grand Marnier mixture, a first layer of chocolate cream, the part-crystallised apricots, a second layer of chocolate cream and the white icing. Decorate with chocolate hair.*

La rose des sables GYPSUM FLOWER

RECETTE POUR 24 PETITS GÂTEAUX DE 7 CM DE DIAMÈTRE
RECIPE FOR 24 SMALL CAKES OF 2.8 IN IN DIAMETER

COMPOSITION
Pâte sablée *Shortbread paste*
Biscuit cacao sans farine *Cocoa biscuit without flour*
Framboises surgelées *Frozen raspberries*
Chiboust Grand-Marnier *Chiboust Grand-Marnier*

PÂTE SABLÉE *SHORTBREAD PASTE*

- 500 g de farine *17.6 oz flour*
- 10 g de levure chimique *0.3 oz baking powder*
- 70 g de poudre d'amande *2.5 oz almond powder*
- 120 g d'œufs *4.2 oz eggs*
- 2 gousses de vanille *2 vanilla pods*
- 220 g de sucre glace *7.7 oz icing sugar*
- 3 g de sel *0.1 oz salt*
- 280 g de beurre *10 oz butter*

Mélangez l'ensemble des ingrédients dans la cuve du batteur jusqu'à obtention d'une pâte homogène. *Combine the ingredients in a mixing bowl to make a homogenous paste.*

BISCUIT CACAO SANS FARINE
COCOA BISCUIT WITHOUT FLOUR

- 250 g de blancs d'œufs *9 oz egg whites*
- 250 g de sucre semoule *9 oz caster sugar*
- 180 g de jaunes d'œufs *6.3 oz egg yolks*
- 75 g de cacao en poudre PLEIN ARÔME *2.6 oz cocoa powder*

Montez les blancs d'œufs et serrez-les de 250 g de sucre semoule. Ajoutez délicatement les jaunes d'œufs et le cacao en poudre tamisé. Cuisez au four 15 minutes à 180 °C. *Beat the egg whites and serrez with the 250 g (9 oz) of caster sugar. Carefully add the egg yolks and the sifted cocoa powder. Cook in the oven for 50 minutes at 180 °C (356 °F)*

CHIBOUST GRAND-MARNIER
CHIBOUST GRAND-MARNIER

- 400 g de lait *14 oz milk*
- 80 g de jaunes d'œufs *2.8 oz egg yolks*
- 215 g de sucre semoule *7.5 oz caster sugar*
- 60 g de poudre à crème *2 oz cream powder*
- 14 g de gélatine en feuilles *0.5 oz gelatine sheets*
- 350 g de chocolat blanc BLANC SATIN *12.3 oz white chocolate*
- 150 g de Grand-Marnier *5.2 oz Grand-Marnier*
- 150 g de blancs d'œufs *5.2 oz egg whites*
- 50 g d'eau *1.7 oz water*

Réalisez une crème pâtissière avec le lait, les jaunes d'œufs, 40 g de sucre semoule et la poudre à crème. Ajoutez ensuite la gélatine et le chocolat blanc. Laissez refroidir à 30 °C.
Préparez une meringue : montez les blancs d'œufs avec 25 g de sucre semoule. Faites cuire à 121 °C 150 g de sucre semoule avec l'eau. Versez le sucre cuit sur les blancs meringués et laissez refroidir à 30 °C. Ajoutez ensuite la crème pâtissière. Mélangez intimement l'ensemble.
Make some crème pâtissière *with the milk, the egg yolks, 40 g (1.4 oz) caster sugar and the cream powdered. Then add the gelatine and the white chocolate. Leave to cool at 30 °C (86 °F).*
Prepare a meringue: *combine the egg whites with 25 g (0,8 oz) caster sugar. Cook 150 g (5.2 oz) caster sugar and the water at 121 °C (250 °F). Pour the cooked sugar over the meringue whites and leave to cool at 30 °C (86 °F). Then add the crème pâtissière. Mix together rigorously.*

MONTAGE ET DÉCORATION
Disposez sur la pâte sablée les éléments dans l'ordre suivant : le biscuit au cacao, une première couche de chiboust Grand-Marnier, les framboises surgelées et une dernière couche de chiboust. Placez en surgélation.
Pour la finition, préparez un appareil à pistolet composé de 1 kg de chocolat blanc et de 500 g de beurre de cacao. Faites fondre cet appareil à 40 °C et pulvérisez sur les petits gâteaux surgelés. En guise de décoration, ajoutez un éventail* en chocolat sur le dessus.
Put the following components on the shortbread paste: the cocoa biscuit, a first layer of Chiboust Grand-Marnier, the frozen raspberries and a last layer of Grand Marnier. Leave to freeze.
For the finish, prepare a mixture for spray gun containing 1 kg (36 oz) white chocolate and 500 g (18 oz) cocoa butter. Melt this mixture at 40 °C (104 °F) and spray over the small frozen cakes. For the decoration, place a chocolate fan on top.*

La coupole THE DOME

RECETTE POUR 24 PETITS GÂTEAUX DE 7 CM DE DIAMÈTRE
RECIPE FOR 24 SMALL CAKES OF 2.8 IN IN DIAMETER

COMPOSITION
Pâte sablée *Shortbread paste*
Biscuit aux amandes *Almond biscuit*
Mousse au chocolat *Chocolate mousse*
Glaçage lait *White icing*
Imbibage au Grand-Marnier *Soaking of Grand-Marnier*

PÂTE SABLÉE *SHORTBREAD PASTE*

- 500 g de farine *17.6 oz flour*
- 10 g de levure chimique *0.3 oz baking powder*
- 70 g de poudre d'amande *2.5 oz almond powder*
- 120 g d'œufs *4.2 oz eggs*
- 2 gousses de vanille *2 vanilla pods*
- 220 g de sucre glace *7.7 oz icing sugar*
- 3 g de sel *0.1 oz salt*
- 280 g de beurre *10 oz butter*

Mélangez l'ensemble des ingrédients dans la cuve du batteur jusqu'à obtention d'une pâte homogène. *Combine all the ingredients in a mixing bowl to make a smooth paste.*

BISCUIT AUX AMANDES *ALMOND BISCUIT*

- 150 g de sucre semoule *5.2 oz caster sugar*
- 150 g de poudre d'amande *5.2 oz almond powder*
- 300 g d'œufs *10.5 oz eggs*
- 360 g de blancs d'œufs *12.5 oz egg whites*
- 150 g de sucre semoule *5.2 oz icing sugar*
- 170 g de farine *6 oz flour*
- 150 g de praline en grains *5.2 oz ground praline*

Montez ensemble le sucre, la poudre d'amande et les œufs au batteur muni d'un fouet. Réalisez la même opération avec les blancs d'œufs et le sucre restant. Mélangez les deux appareils et ajoutez la farine tamisée et la praline en grains. Cuisez à 180 °C au four ventilé.
Combine 150 g (5.2 oz) sugar, the almond powder and 300 g (10.5 oz) eggs with a whip and a whisk. Carry out the same process with the egg whites and the remaining sugar. Combine the two mixtures and add the sifted flour and the ground praline.

MOUSSE AU CHOCOLAT
CHOCOLATE MOUSSE

- 140 g de sucre *5 oz sugar*
- 80 g d'eau *2.8 oz water*
- 160 g de jaunes d'œufs *5.6 oz egg yolks*
- 400 g de couverture noire 64 % de cacao *EXTRA-BITTER GUAYAQUIL 14 oz dark couverture, 64% cocoa*
- 1 000 g de crème fleurette *35 oz whipping cream*

Réalisez une pâte à bombe. Faites cuire à 121 °C le sucre et l'eau. Versez le sucre cuit sur les jaunes et sur les œufs tempérés. Montez l'appareil au fouet et au batteur. À 35 °C, versez l'appareil sur la couverture préalablement fondue à 40 °C et mélangez. Ajoutez ensuite la crème montée mousseuse.
Make a bomb mixture. Cook the sugar and the water at 121 °C (250 °F). Pour the cooked sugar over the yolks and the tempered eggs. Combine the mixture with a whip and a whisk. Once at 35 °C (95 °F), pour the mixture over the pre-melted couverture at 40 °C (104 °F) and mix. Next add the cream whipped into a mousse.

GLAÇAGE AU LAIT *MILK ICING*

- 250 g de lait *9 oz milk*
- 100 g de glucose *3.5 oz glucose*
- 8 g de gélatine en feuilles *0.3 oz gelatine sheets*
- 300 g de couverture lactée 36 % de cacao *AMBRE JAVA 10.5 oz milk couverture 36% cocoa*
- 300 g de pâte à glacer blonde *10.5 oz blond icing paste*

Portez à ébullition le lait avec le glucose et ajoutez la gélatine préalablement humidifiée à l'eau froide. Versez le liquide sur la couverture et la pâte à glacer fondue à 40 °C. Mélangez et chinoisez.
Boil the milk with the glucose and add the gelatine already dipped in the cold water. Pour the liquid over the white couverture and the icing paste melted to 40 °C (104 °F). Mix and chinoisez.

IMBIBAGE GRAND-MARNIER
SOAKING OF GRAND-MARNIER

- 100 g de sirop à 30 °C baumé *3.5 oz syrup at 86 °F baumé*
- 20 g d'eau *0.7 oz water*
- 100 g de Grand-Marnier *3.5 oz Grand-Marnier*

Mélangez ces ingrédients et réservez.
Mix the three ingredients and put aside.

MONTAGE ET DÉCORATION
Disposez les différents éléments sur la pâte sablée dans l'ordre suivant : le biscuit aux amandes imbibé de Grand-Marnier, une première couche de mousse au chocolat, un deuxième biscuit aux amandes, une dernière couche de mousse au chocolat. Donnez à la pièce un aspect arrondi et entourez de glaçage au lait. Décorez le sommet d'un tube ajouré* et le pourtour de triangle en chocolat obtenu par détaillage à plat*.
Put the different components on the shortbread paste in the following order: the almond biscuit soaked in Grand-Marnier, a first layer of chocolate mousse, a second almond biscuit, and a second layer of chocolate mousse. Give the piece a rounded appearance and encircle with the milk icing. Decorate the top of an openwork tube and the circumference of a chocolate triangle obtained by flat cutting*.*

Retour de Corse BACK FROM CORSICA

RECETTE POUR 24 PETITS GÂTEAUX DE 7 CM DE DIAMÈTRE
RECIPE FOR 24 SMALL CAKES OF 2.8 IN IN DIAMETER

COMPOSITION
Pâte sablée *Shortbread paste*
Biscuit cacao *Cocoa biscuit*
Mousse Grand-Marnier *Grand-Marnier mousse*
Marrons confits *Crystallised chestnuts*
Mousse au chocolat *Chocolate mousse*
Glaçage au lait *Milk icing*

PÂTE SABLÉE *SHORTBREAD PASTE*
- 500 g de farine *17.6 oz flour*
- 10 g de levure chimique *0.3 oz baking powder*
- 70 g de poudre d'amande *2.5 oz almond powder*
- 120 g d'œufs *4.2 oz eggs*
- 2 gousses de vanille *2 vanilla pods*
- 220 g de sucre glace *7.7 oz icing sugar*
- 3 g de sel *0.1 oz salt*
- 280 g de beurre *10 oz butter*

Mélangez l'ensemble des ingrédients dans la cuve du batteur jusqu'à obtention d'une pâte homogène.
Combine all the ingredients in a mixing bowl to make a homogenous paste.

BISCUIT CACAO *COCOA BISCUIT*
- 200 g de jaunes d'œufs *7 oz egg yolks*
- 500 g d'œufs *17.6 oz eggs*
- 400 g de sucre semoule *14 oz caster sugar*
- 120 g de farine *4.2 oz flour*
- 120 g de cacao en poudre PLEIN ARÔME *4.2 oz cocoa powder*

Montez ensemble les jaunes d'œufs, les œufs et le sucre. Réalisez la même opération avec les blancs d'œufs serrés avec le sucre. Mélangez les deux appareils et ajoutez la farine et le cacao en poudre tamisé. Cuisez au four à 200 °C environ 10 minutes.
Mix the egg yolks, the eggs and the sugar together. Carry out the same process with the egg whites serrés *with the sugar. Combine the two mixtures and add the flour and the sifted cocoa powder. Cook in the oven at 200 °C (392 °F) for approximately 10 minutes.*

MOUSSE GRAND-MARNIER
GRAND-MARNIER MOUSSE
- 125 g de lait entier *4.4 oz whole milk*
- 50 g de jaunes d'œufs *1.7 oz egg yolks*
- 25 g de sucre *0.8 oz sugar*
- 100 g de poudre à flan *3.5 oz flan powder*
- 1 gousse de vanille *1 vanilla pod*
- 4 g de gélatine en feuille *0.1 oz gelatine sheets*
- 300 g de chocolat blanc BLANC SATIN *10.5 oz white chocolate*
- 50 g de Grand-Marnier *1.7 oz Grand-Marnier*
- 550 g de crème fleurette *19.4 oz whipping cream*

Réalisez une crème pâtissière avec le lait, les jaunes d'œufs, le sucre, la poudre à flan et la gousse de vanille. Après cuisson de la crème pâtissière, ajoutez la gélatine, le chocolat blanc et laissez refroidir à 30 °C. Ajoutez alors le Grand-Marnier et la crème fleurette mousseuse.
Make a crème pâtissière *with the milk, the egg yolks, the sugar and the* poudre à flan. *Add the vanilla pod after cooking. Next add the gelatine, the white chocolate, and leave to cool at 30 °C (86 °F). Then pour in the Grand-Marnier and the mousse whipped cream.*

MOUSSE AU CHOCOLAT
CHOCOLATE MOUSSE
- 400 g de couverture noire 66 % de cacao
  AMÈRE CONCORDE LENÔTRE *14 oz dark couverture, 66% cocoa*
- 100 g de lait entier *3.5 oz whole milk*
- 600 g de crème fleurette *21 oz whipping cream*

Portez à ébullition du lait, versez sur la couverture et laissez refroidir à 40 °C. Ajoutez ensuite la crème montée en mousse.
Bring the milk to the boil; pour over the couverture, and leave to cool at 40 °C (104 °F). Next add the cream whipped into a mousse.

GLAÇAGE AU LAIT *MILK ICING*
- 250 g de lait entier *9 oz milk*
- 100 g de glucose *3.5 oz glucose*
- 8 g de gélatine en feuille *0.3 oz gelatine sheets*
- 300 g de couverture lactée 36 % de cacao AMBRE JAVA
  10.5 oz milk couverture 36% cocoa
- 300 g de pâte à glacer blonde *10.5 oz blond icing paste*

Portez à ébullition le lait avec le glucose et ajoutez la gélatine préalablement trempée dans l'eau froide. Versez le liquide sur la couverture et la pâte à glacer fondue à 40 °C. Mélangez intimement et chinoisez. *Boil the milk with the glucose and add the gelatine already dipped in the cold water. Pour the liquid over the white chocolate and the icing paste melted to 40 °C (104 °F). Mix and* chinoisez.

MONTAGE ET DÉCORATION
Déposez sur la pâte sablée les différents composants du gâteau dans l'ordre suivant : le biscuit cacao, la crème Grand-Marnier, les marrons confits, la mousse au chocolat et le glaçage au lait. Décorez de brindilles au chocolat et d'un marron de décor.
Put the different components of the cake on the shortbread paste in the following order: the cocoa butter, the Grand-Marnier cream, the crystallised chestnuts, the chocolate mousse and the milk icing. Decorate with chocolate sprigs and a decorative chestnut.

L'abyssin THE ABYSSINIAN

RECETTE POUR 24 PETITS GÂTEAUX DE 7 CM DE DIAMÈTRE
RECIPE FOR 24 SMALL CAKES OF 2.8 IN IN DIAMETER

COMPOSITION
Dacquoise aux amandes et aux noisettes
Almond and hazelnuts dacquoise
Bavarois au café *Coffee Bavarian*
Noisettes hachées caramélisées *Caramelized minced hazelnuts*
Couverture extra-fluide BARRY GLACE FONDANT
Extra-fluid couverture

DACQUOISE AUX AMANDES ET AUX NOISETTES

ALMOND AND HAZELNUTS DACQUOISE

- 450 g de blancs d'œufs *15.8 oz egg whites*
- 250 g de sucre semoule *9 oz caster sugar*
- 150 g de sucre glace *5.2 oz icing sugar*
- 220 g de poudre de noisette *7.7 oz hazelnut powder*
- 220 g de poudre d'amande *7.7 oz almond powder*
- 50 g de farine *1.7 oz flour*

Montez les blancs d'œufs en ajoutant le sucre semoule. Tamisez et ajoutez ensuite les autres ingrédients. Faites cuire au four à 170 °C pendant 15 minutes.
Beat the egg whites, adding the caster sugar. Sieve the other ingredients and add them to the whites. Bake at 170 °C (338 °F) for 15 minutes.

BAVAROIS AU CAFÉ

COFFEE BAVARIAN CREAM

- 650 g de lait entier *23 oz whole milk*
- 130 g de café moulu *4.6 ground coffee*
- 270 g de sucre semoule *9.5 oz caster sugar*
- 160 g de jaunes d'œufs *5.6 oz yolks*
- 24 g de gélatine en feuilles *0.8 oz gelatine sheets*
- 650 g de crème fleurette montée *23 oz whipping cream*

Faites bouillir le lait ainsi que le café moulu. Passez l'appareil à l'étamine. Versez l'appareil sur les jaunes d'œufs et le sucre préalablement mélangés. Cuisez l'ensemble à 85 °C sur le gaz et chinoisez. Ajoutez les feuilles de gélatine préalablement hydratées. Quand la température de l'appareil est redescendue à 30 °C, ajoutez la crème montée.
Boil the milk with the ground coffee. Strain the mixture through muslin. Pour the mixture over the yolks and sugar previously blended. Cook at 85 °C (153 °F) on the gas burner and chinoisez. Hydrate the gelatine leaves and add them to the mixture. Once the mix has cooled down to 30 °C (86 °F) add the whipped cream.

MONTAGE ET DÉCORATION
Déposez le bavarois au café sur la dacquoise. Roulez ce petit gâteau dans des noisettes hachées caramélisées et pulvérisez ensuite l'ensemble avec de la couverture extra-fluide à une température de 45 °C.
Spread the Bavarian cream over the dacquoise. Roll this small cake in caramelized minced hazelnuts then spray it with 45 °C (113 °F) warm extra-fluid couverture.

LES ANNEXES

APPENDIX

Glossaire

GLOSSARY

ABAISSE L'abaisse est une fine couche d'un produit quelconque en pâtisserie.
ROLLED OUT PASTRY *The rolled out pastry is a thin layer of any given product in confectionery.*

ACIDES GRAS Les acides gras sont les éléments majeurs rencontrés dans les matières grasses. Il s'y présentent sus la forme de triglycérides.
FATTY ACIDS *Fattty acids are the main elements to be found in fat. They take the form of triglycerides.*

BEURRE DE CACAO Matière grasse contenue dans la fève de cacao, le beurre de cacao est un mélange de plusieurs triglycérides. Il est de couleur jaune pâle. Sa température de fusion est de 35 °C. Il ne rancit pas et sa conservation est aisée. Il est utilisé non seulement en pâtisserie mais aussi dans l'industrie cosmétique et pharmaceutique.
COCOA BUTTER *Cocoa butter is the fat contained in the cocoa bean and it is a combination of different triglycerides. It is light yellow. Its melting temperature is 35 °C (95 °F). It doesn't go rancid and is easy to keep. It is used both in confectionery and in the pharmaceuticals or cosmetics.*

BROYAGE Le broyage est le stade de fabrication du chocolat durant lequel les fèves de cacao sont passées dans un broyeur d'où elles ressortent sous forme d'une pâte appelée pâte de cacao ou masse de cacao.
THE GRINDING *The grinding takes place when the cocoa beans are put through a grinder and come out in a paste called cocoa paste or cocoa mass.*

CACAO EN GRAIN Le cacao en grains définit un stade du traitement de la fève de cacao. Celle-ci doit alors contenir au maximum 5 % de germes et de coques non éliminés et pas plus de 10 % de cendre.
GRAINED COCOA *Grained cocoa corresponds to a stage in the processing of the cocoa bean. At this point, it must contain a maximum of 5 % of residual shell and sprout and no more than 10 % ash.*

CAFÉINE Cet alcaloïde est présent dans la fève de cacao et donne au chocolat ces vertus tonifiantes.
CAFFEINE *This alkaloid can be found in the cocoa bean and provides the chocolate with its tonic properties.*

CHEMISER Tapisser les parois d'un moule d'un revêtement.
CHEMISER *To cover the inner side of a mould.*

CHINOISER Passer une préparation au chinois pour éliminer les particules résiduelles.
CHINOISER *To strain a mixture through a conical strainer to suppress residual particles.*

CHOCOLAT AU LAIT Ce type de chocolat est produit à partir de poudre de lait, ou de pâte de cacao, de cacao maigre et de saccharose. Il doit contenir au minimum 14 % de matière sèche d'origine lactique. Cette appellation, comme tous les autres types de chocolat, est réglementé par le décret n° 76692 du 13 juillet 1976 qui prévoit les quantités minimales ou maximales qui entrent dans la composition des différents types de chocolat.
MILK CHOCOLATE *This type of chocolate is made with powdered milk, or cocoa paste, dry cocoa and saccharose. It must contain at least 14 % of dry matter of lactic origin. For this and all other chocolates, this designation is ruled by the decree n° 76692 of July 13 1976 stating the minimum and maximum quantities of products used in the various sorts of chocolates.*

CHOCOLAT BLANC Il doit contenir un minimum de 20 % de beurre de cacao. Ce produit ne doit pas contenir de matières colorantes. Il est obtenu à partir de beurre de cacao et de saccharose et de poudre de lait.
WHITE CHOCOLATE *It must contain a minimum of 20 % Cocoa butter. It must not contain colouring substances. It is made with cocoa butter saccharose and powdered milk.*

CHOCOLAT DE MÉNAGE OU DE LABORATOIRE Il doit contenir au moins 30 % de cacao, 12 % de cacao dégraissé et 18 % de beurre de cacao.
Il existe aussi un chocolat de ménage au lait. Son pourcentage minimum de cacao doit être de 20 % et de 2,5 % de cacao dégraissé.
COOKING CHOCOLATE *It must contain a minimum of 30 % cocoa, 12 % dry cocoa and 18 % cocoa butter.*
You can also find milk plain chocolate. It must contain a minimum of 20 % cocoa and 2.5 % of lean cocoa.

CHOCOLAT NOIR Il doit contenir au moins 35 % de cacao, 14 % de cacao sec dégraissé et 18 % de beurre de cacao.
BLACK CHOCOLATE *It must contain a minimum of 35 % cocoa, 14 % dry cocoa and 18 % cocoa butter.*

CHOQUER Faire subir au chocolat un changement de température important qui facilite sa cristallisation. Si le chocolat est trop choqué, la courbe de tempérage n'est plus respectée. La surface du chocolat présente alors des difformités.
SHOCKING *To make the chocolate undergo an important change in temperature which facilitates its crystallization. If the change is too important, the tempering curve is not followed anymore. The surface of the chocolate then shows malformation.*

COLORANTS LIPOSOLUBLES Ces colorants ont la particularité de se dissoudre au contact d'un corps gras. Ils sont donc utilisés en chocolaterie pour teinter les chocolats et le beurre de cacao.
LIPOSOLUBLE COLOURINGS *These colourings dissolve when mixed with fat. They are therefore used in confectionery to dye the chocolates and cocoa butter.*

Conchage Durant l'opération de conchage, le chocolat subit une agitation importante sur une durée de 12 à 48 heures. On distingue deux étapes lors du conchage : le conchage à sec et le conchage liquide. Ces opérations donnent au chocolat une plus grande onctuosité et accentuent les arômes.
Conching *During the conching the chocolate undergoes an important shaking for 12 to 48 hours. There are two stages : dry conching and liquid conching. This processing increases the chocolate's creaminess and heightens the aromas.*

Couverture Type de chocolat devant contenir un minimum de 31 % de beurre cacao. Il existe des couvertures noires, lactées, aromatisées et extra-fluides. Leur diversité permet une grande souplesse au travail du chocolatier.
Couverture *A sort of chocolate containing a minimum of 31 % of cocoa butter. There are black, milk, flavoured and extra-fluid couvertures. Their variety allows a wide range of action for the confectioner.*

Détailler Dégager une forme dans du chocolat cristallisé à l'aide d'un cutter ou de tout autre objet tranchant.
Cutting outor flat cutting *Easing a form out of crystallized chocolate with a cutter or any other cutting object.*

Film sérigraphié Film dont la surface est inprimée de motifs avec du beurre de cacao coloré.
Silkscreening film *A film whose surface is printed with patterns in coloured cocoa butter.*

Granit Table de granit vitrifié servant de plan de travail.
Granite *A table of varnished granite used as a worktop.*

Hygrométrie Mesure du taux d'humidité dans l'atmosphère en un endroit donné.
Hygrometry *Measuring of the humidity rate in the atmosphere of a given place.*

Imbibage Sirop avec ou sans alcool avec lequel on imbibe un biscuit ou une gênoise afin de leur donner plus de mœlleux ou de goût.
Moistening *Using a syrup, with or without alcohol, to moisten a sponge cake and make it more tasty and mellow.*

Moule en polycarbonate Moule utilisé en chocolaterie dont la matière permet un rendu parfait des moulages.
Polycarbonate mould *A mould used in confectionery whose matter helps optimizing the rendering of the mouldings.*

Moule thermoformé Feuille de plastique chauffée et appliquée sur une forme qui donne un moule.
Thermoformed mould *It is made by applying a heated plastic sheet on a moulding in plaster or of any other nature.*

Mouler Action de donner une forme au chocolat en le laissant cristalliser dans un moule.
To mould *To shape the chocolate by leaving it crystallize in a mould.*

Pâte de chocolat à modeler C'est un mélange de chocolat et de sirop de glucose dont la souplesse permet le modelage à la main. La pâte de chocolat à modeler peut être teintée avec divers colorants.
Modelling chocolate paste *A mixture of chocolate and glucose syrup whose suppleness allows its shaping with your hands. The modelling chocolate paste can be dyed with various colourings.*

Peigner Passer du chocolat tempéré au triangle cranté.
Combing *Dragging metal scraper over tempered chocolate.*

Plaque stratifiée plaque en résine recouverte d'un revêtement alimentaire.
Stratified board *A board made in resin with a covering used for all sorts of workings in confectionery.*

Plisser Donner une forme plissée à une abaisse de chocolat à l'aide d'un triangle ou d'un couteau.
Creasing *Giving a pleated aspect to a chocolate rolled out with a metal scraper or a knife.*

Pocher Déposer un produit alimentaire avec une poche munie d'une douille.
Piping *Putting any sort of food product with a pastry tube and a piping nozzle.*

Pulvériser Passer une pièce au pistolet à air comprimé ou électrique dont le réservoir est rempli de couverture extra-fluide.
Spraying *Sprinkling extra-fluid couverture over a piece with a electrical or compressed air spray gun.*

Semeller Renforcer une pièce en chocolat en la couchant sur une planche de chocolat tempéré avant sa cristallisation.
Semeller *Strengthening a piece in chocolate by laying it over a layer of tempered chocolate before its crystallisation.*

Serrer Ajouter du sucre avant de finir de monter des blancs d'œufs.
Serrer *Adding sugar to the egg whites just before they are beaten stiff.*

Surgélation Placer un produit dans un endroit dont la température est comprise entre -18° et -20 °C.
Deep freezing *Freezing a product quickly by submitting it to a very low temperature (between -18 °C and -20 °C (-0,4 and -4 °F).*

Tablage Le tablage est, avec l'ensemencement, l'une des deux techniques de tempérage du chocolat.
Manual tempering *Manual tempering and seeding are the two ways of tempering chocolate.*

Tannin Le tannin est une substance que l'on trouve dans quelques végétaux et dont la propriété est de ralentir leur putréfaction.
Tannin *Tannin is a substance which can be found in some plants and which slows their putrefaction.*

Théobromine La théobromine est un alcaloïde que l'on trouve dans la fève de cacao. Ce principe actif est diurétique.
Theobromine *Theobromine is an alkaloid powder which can be found in cocoa beans. It is a diuretic.*

Torréfaction Opération durant laquelle les fèves de cacao sont rôties à une température de 120-130 °C.
Roasting *Operation during which the cocoa beans are roasted at a temperature of 120-130 °C (248-266 °F).*

Remerciements THANKS

Nous remercions vivement Barry Callebaut, principal partenaire, pour avoir soutenu la réalisation de ce premier ouvrage autour du chocolat.

We would first and foremost like to thank Barry Callebaut, our main partner, for giving his support to the making of this first book about chocolate.

ÉCOLE CACAO BARRY GASTRONOMIE FRANÇAISE BARRY CALLEBAUT

PCB Création, la Société des produits Marnier Lapostolle et la société Président ont également apporté leur soutien à la publication de cet ouvrage. Nous les en remercions.

PCB Création, the product company Marnier Lapostolle and the company President have also supported the publication of this book. This is our opportunity to thank them.

PHILIPPE BERTRAND & PHILIPPE MARAND